ДЖОРДЖ ОРУЭЛЛ

СКОТНЫЙ ДВОР. ЭССЕ

ИЗДАТЕЛЬСТВО АСТ

МОСКВА

УДК 821.111-3
ББК 84(4Вел)-44
О-70

Серия «Эксклюзивная классика»

George Orwell

ANIMAL FARM
ESSAYS

Перевод с английского

Компьютерный дизайн *А. Фереза, Е. Ферез*

Печатается с разрешения
The Estate of the late Sonia Brownell Orwell
и литературных агентств A.M. Heath & Co Ltd.
и Andrew Nurnberg.

Оруэлл, Джордж.

О-70   Скотный двор ; Эссе : [сборник : перевод с англий-
ского] / Джордж Оруэлл. — Москва : Издательство
АСT, 2021. — 256 с. — (Эксклюзивная классика).

ISBN 978-5-17-102500-7

В книгу включены не только легендарная повесть-прит-
ча Оруэлла «Скотный двор», но и эссе разных лет — «Литература и тоталитаризм», «Писатели и Левиафан», «Заметки
о национализме» и другие.
Что привлекает читателя в художественной и публици-
стической прозе этого запретного в тоталитарных странах
автора?
В первую очередь — острейшие проблемы политической
и культурной жизни 40-х годов XX века, которые и сегодня
продолжают оставаться актуальными. А также объектив-
ность в оценке событий и яркая авторская индивидуальность, помноженные на истинное литературное мастерство.

УДК 821.111-3
ББК 84(4Вел)-44

© Перевод. В. П. Голышев, 2016
© Перевод. И. Я. Доронина, 2016
© Перевод. А. М. Зверев, 2016
© Перевод. С. Э. Таск, 2016
© George Orwell, 1945, 1938—1949
© Издание на русском языке
AST Publishers, 2021

ISBN 978-5-17-102500-7

СКОТНЫЙ ДВОР

Глава первая

Мистер Джонс, владелец фермы «Райский уголок», несмотря на сильное подпитие, перед сном по-хозяйски запер курятник, оставив при этом открытыми слуховые окна. Вооруженный пляшущим в руке фонариком, он пересек двор на ватных ногах, скинул сапоги на заднем крыльце, заглянул в буфетную, чтобы в последний раз отметиться у бочонка с пивом, и взял курс на спальню, ориентируясь на храп миссис Джонс.

Едва успел погаснуть в спальне свет, как во всех хозяйственных постройках разом все зашевелилось, захлопало крыльями. Еще днем распространился слух, что старый Майор, упитанный белый кабан-медалист, видел прошлой ночью странный сон и хотел бы рассказать о нем всем животным.

Было решено собраться в большом сарае, как только мистер Джонс пойдет спать.

Старый Майор (это имя закрепилось за ним давно, хотя на выставках он был больше известен как Красавчик) пользовался на ферме особым почетом, и ради того, чтобы лишний раз его послушать, не жаль было пожертвовать часом сна.

В дальнем конце сарая возвышался дощатый помост; там, на соломенной подстилке, под фонарем, подвешенным за балку, возлежал Майор. В свои двенадцать лет, при том что его несколько разнесло, он был по-прежнему хорош, воплощение мудрости и кротости, невзирая на торчащие клыки. Один за другим входили животные и устраивались поудобнее, каждое на свой манер.

Первыми появились собаки, Бесси, Джесси и Пинчер, за ними свиньи, которые сразу облюбовали мягкую солому перед самым помостом. Куры расселись на подоконниках, голуби вспорхнули на стропила, овцы и коровы улеглись позади свиней и принялись за жвачку. Работяга и Хрумка, две ломовые лошади, войдя в сарай, соразмеряли каждый шаг, чтобы, не дай бог, не раздавить какую-нибудь кроху своими мощными мохнатыми копытами. Хрумка, выносливая кобыла в расцвете лет, ожеребившись в четвертый раз, утратила прежнюю стройность форм. Работяга, здоровенный, под два метра битюг, стоил двух жеребцов. Белая полоса на морде придавала ей этакое простецкое выражение, да в общем-то он звезд с неба и не хватал, зато снискал всеобщее уважение за твердый характер и исключительную работоспособность. За

Джордж Оруэлл

лошадьми пожаловали Мюриэл, белоснежная козочка, и Бенджамин, осел. Среди всех животных на ферме Бенджамин был самый старший и самый злонравный. Говорил он крайне редко и если уж открывал рот, то непременно следовал циничный выпад — к примеру:

«Бог наградил меня хвостом, чтобы я мог отгонять мух, а по мне, так лучше ни мух, ни хвоста». Он единственный никогда не смеялся. На вопрос «почему?» он отвечал, что не видит вокруг себя ничего смешного. Он был по-своему предан Работяге, хотя нипочем не признал бы этого вслух. Воскресенья они обычно проводили вместе на выгуле, за фруктовым садом, где они могли, бок о бок пощипывая травку, не обмолвиться за весь день ни единым словечком.

Не успели лошади как следует улечься, как появился целый выводок утят.

Они отбились от мамы и теперь слабо попискивали и тыкались туда-сюда в поисках безопасного местечка. Хрумка огородила для них пятачок своей мощной передней ногой, и утята, угнездившись, мгновенно заснули. Как всегда, под занавес в сарай вошла блондинка Молли, глуповатая хорошенькая кобылка, которую мистер Джонс запрягал в двуколку. Похрустывая сахарком, она грациозно, мелкими шажками прошла вперед и начала у всех на виду поигрывать белой гривой, чтобы каждый мог по достоинству оценить вплетенные в нее красные ленты. В последний момент на пороге показалась кошка. По обыкновению, она осмотрелась и решила, что самое теплое местечко — между Работягой и Хрумкой; там она и расположилась, и, пока Майор держал речь, она себе мурлыкала в полном упоении, ничего не видя и не слыша.

Итак, все были в сборе, если не считать ручного ворона Моисея, спавшего на своем шестке за сараем. Убедившись, что все удобно устроились и готовы ему внимать, Майор прочистил горло и начал так:

— Товарищи! Как вы слышали, прошлой ночью мне приснился странный сон.

Но прежде чем рассказать о нем, позвольте всего несколько слов. Я знаю, дни мои сочтены, и я не имею права уйти, не передав вам, товарищи, свой опыт. Я прожил долгую жизнь, много размышлял, лежа в своем закуте, и, думаю, пришел к пониманию природы вещей, насколько это дано нам, животным. Вот об этом-то я и хочу поговорить сегодня.

Какова же, товарищи, природа вещей? А такова, что наш век короток, тяжел и беспросветен. Едва появившись на свет, мы работаем до седьмого пота, а живем впроголодь, в чем только душа держится, и, когда мы становимся ни на что не пригодными, нас предают варварской мучительной смерти. Нет в Англии животного, которое, выйдя из младенчества, знало бы, что такое счастье и заслуженный отдых. Нет в Англии животного, которое было бы свободным. Мы живем в рабстве и нищете — вот голая правда.

Джордж Оруэлл

Но, может быть, это в природе вещей? Может быть, земля наша так скудна, что не способна прокормить всех своих обитателей? Нет, товарищи, тысячу раз нет! Земля Англии плодородна, климат благоприятный, а пищи хватит нашим внукам и правнукам. Взять даже эту ферму: здесь могли бы жить припеваючи дюжина лошадей, два десятка коров, сотни овец. Невероятно, но факт. Так почему же, спрашивается, мы влачим столь жалкое существование? А потому, что продукт нашего труда присваивается человеком! Вот где, извиняюсь, собака зарыта. Вот он, корень зла — человек. Другого врага у нас нет. Уберите с подмостков Истории человека, и вы навсегда покончите с голодом и рабским трудом.

Только человек потребляет, ничего не производя. Он не несет яйца, не дает молока, ему не по силам тащить плуг или загнать зайца. И при этом он царь и бог. Он закабалил нас, мы гнем на него спину, перебиваясь с хлеба на воду, а он живет плодами нашего труда. Мы надрываем мускулы при обработке его земли, мы производим ценнейший навоз для его полей, и что же? Кожа да кости — это все, что мы имеем. Вот вы, коровы, сколько тысяч литров молока дали вы за прошлый год? И куда оно пошло, минуя голодных сосунков? Все, до последней капли, вылакали наши эксплуататоры. А вы, куры, сколько вы снесли яиц и много ли вылупилось из них цыплят? Львиная доля пошла на рынок, чтобы еще больше обогатились Джонс и его люди. А где,

Хрумка, четверо твоих жеребят, которые могли стать опорой и усладой твоей старости? Их продали с торгов годовалыми, и уже не видать тебе их, как своих ушей. Выносить и в муках родить потомство, полить пóтом каждую пядь земли — а что взамен, кроме стойла и жалкой подачки?

Но даже эта безрадостная жизнь редко достигает своего естественного конца. О себе я не говорю, мне крупно повезло: двенадцать годков, худо-бедно, прожил, и детишками бог не обидел, за четвертую сотню перевалило. Но все так или иначе идут под нож. Вот передо мной сидят подсвинки, их за год откормят, а потом, отчаянно визжащих, прикончат на колоде одним ударом. Этот ужас грозит всем нам — коровам, свиньям, курам, овцам — всем. Возьмите нашего Работягу. Стоит ему подорвать свое лошадиное здоровье, как в тот же день Джонс продаст его на живодерню, где с него снимут шкуру, а мясо отдадут на псарню. Даже последнюю собаку ждет безвременный конец. Когда у нее обвиснет хвост и зубов поубавится, Джонс привяжет ей на шею камень и утопит в ближайшем пруду.

Короче, товарищи, ясно как божий день: не будет нам житья, пока существует тирания человека. Свергнем тирана — и все принадлежит нам. Одно мощное усилие — и вот они, свобода и сытая жизнь. Сам собой напрашивается вопрос: что делать? Я вам скажу. Трудиться день и ночь, не щадя себя, во имя освобождения от

Джордж Оруэлл

человеческого гнета. Вот мой вам завет, товарищи: восстание!

Когда произойдет это восстание, через неделю или через сто лет, я не знаю, но так же ясно, как вы видите меня на соломенной подстилке, с такой же ясностью я вижу — рано или поздно справедливость восторжествует. Так посвятите этой цели остаток своей короткой жизни! А главное, передайте мой завет потомкам, и пусть грядущие поколения продолжат нашу борьбу до окончательной победы!

И помните, товарищи: ничто не должно поколебать вашей решимости. Пусть никакие красивые слова не собьют вас с пути. Не верьте человеку, когда он будет говорить, что у него и у животных общие интересы и что чем богаче его стол, тем больше вам с него перепадает. Все ложь. Человек всегда блюдет свой интерес. Ну а мы, животные, должны сомкнуть наши ряды, должны крепить наше единство. Все люди — враги. Все животные — братья...

Его слова заглушил внезапный шум. Пока Майор держал свою речь, из щелей сарая вылезли огромные крысы и присоединились к слушателям. Тут их засекли собаки, и несдобровать бы крысам, не юркни они обратно в щель. Майор поднял копытце, прося тишины.

— Товарищи, — сказал он, — нам надо определиться. Крысы и дикие кролики — кто они, друзья или враги? Ставлю вопрос на голосование. Итак: считает ли собрание, что нам с крысами по пути?

Подавляющим большинством голосов вопрос был решен положительно. Против оказались четверо, три собаки и кошка, которая, как позже выяснилось, проголосовала за оба предложения. А Майор продолжал:

— Мне осталось сказать немногое. Еще раз повторю: будьте непримиримы в своей ненависти ко всему, что связано с именем человека. Всякое двуногое — враг. Всякое четвероногое или крылатое — друг. Но важно, чтобы в борьбе с человеком мы не уподобились ему. И позже, когда он уже будет низложен, нельзя, чтобы мы погрязли в людских пороках. Ни одно животное не должно жить в доме, спать в постели, носить одежду, не должно употреблять алкоголь и курить табак, заниматься торговлей и вести денежные расчеты. Что бы человек ни делал, все дурно. А самое главное — животные не должны угнетать себе подобных. Среди нас есть слабые и сильные, умные и не очень, но все мы братья. Ни одно животное никогда да не убьет другое. Все животные равны.

А теперь, товарищи, мой сон. Рассказать его трудно. Я увидел, какой будет земля без человека. И вдруг вспомнил совсем забытое. Давным-давно, в пору моего поросячьего детства, моя мать и тетки певали старинную песню — они знали только мелодию и первые три слова. Я помнил эту мелодию, но со временем она как-то

Джордж Оруэлл

забылась. И вот сегодня ночью я услышал ее во сне. Более того, я услышал слова, которые наверняка были известны нашим далеким предкам и казались уже навсегда утраченными. Сейчас я вам спою эту песню. Конечно, я стар и голос у меня уже не тот, зато, когда ее разучите вы, она зазвучит в полную силу. Песня называется «Скот домашний, скот бесправный».

Старый кабан прочистил горло и запел. Хотя голос у него и вправду был уже не тот, однако пел он довольно прилично, и мелодия сразу западала в сердце, напоминая одновременно «Клементину» и «Кукарачу». Впрочем, ближе к тексту:

Скот домашний, скот бесправный,
Изнуренный маетой,
Верю, ждет нас праздник славный,
Век наступит золотой!

Тот, кто был вчера хозяин,
Будет стерт с лица земли,
И до самых до окраин
Заживем как короли.

Все, что нам веками снилось,
Все получим мы сполна:
Будет сено, будет силос,
Вдоволь жмыха и зерна.

Злую зиму сменит лето,
Сменит бурю полный штиль,
Ну а ветхие заветы
Навсегда сдадим в утиль.

Скотный Двор

Все, друзья, начнем с начала,
День придет — взмахнем хвостом
И, не мешкая, орала
На мечи перекуем.

Скот домашний, скот бесправный,
Изнуренный маетой,
Верю, ждет нас праздник славный,
Век наступит золотой!

Экстаз был полный. Майор не успел добраться до последнего куплета, как уже грянул хор. Даже самые несообразительные с ходу запомнили мелодию и отдельные слова, а более смышленые, вроде свиней и собак, через несколько минут знали песню наизусть. После двух или трех проб весь личный состав скотного двора дружно горланил: «Скот домашний, скот бесправный...» Мычали коровы, выли собаки, блеяли овцы, ржали лошади, крякали утки. От избытка чувств песню пропели пять раз подряд и пели бы, наверно, до утра, если бы не грубое вмешательство извне.

От этого «пения» проснулся мистер Джонс и спросонья решил, что на ферму забралась лисица. Он схватил в углу охотничье ружье, всегда стоявшее наготове, и пальнул в темноту крупной дробью. Огонь приняла на себя стена сарая, что послужило сигналом к окончанию собрания. В один момент всех словно ветром сдуло. Четвероногие зарылись в солому, крылатые расселись по шесткам, и на ферме воцарилась полная тишина.

Глава вторая

Спустя три дня душа старого Майора тихо отлетела во сне. Могилу ему выбрали с видом на фруктовый сад.

Это случилось в начале марта. Следующие три месяца прошли в бурной, хотя и тщательно законспирированной деятельности. Если говорить о наиболее сознательных животных, то речь Майора буквально перевернула их представления о жизни. Никто не знал, когда сбудется гениальное предвидение, трудно было рассчитывать на то, что Восстание произойдет при их жизни, но ясно было одно: надо сделать все, чтобы приблизить этот великий день. Вся просветительская и организационная работа легла на плечи свиней, как на самую мыслящую часть животного мира. Среди последних выделялись два кабанчика — Цицерон и Наполеон, которых мистер Джонс выращивал на продажу.

Наполеон был крупный и весьма свирепый на вид кабан беркширской породы, единственный беркшир на ферме; он умел настоять на своем, хотя и не обладал даром красноречия. Цицерон же был нрава веселого, фантазер и говорун, но ему, по общему мнению, не хватало основательности. Прочие кабанчики откармливались на убой. Самый заметный из них был Деловой, шустрый такой, бокастенький, с лоснящимся рыльцем, необыкновенно живыми глазками-пуговками и пронзительнейшим голоском. Произнося зажигательные речи, в самые драматические моменты он начинал посучивать ножками и быстро-быстро поводить хвостиком, что как-то сразу убеждало. И вот уже черное казалось белым.

Эти трое и разработали идеи покойного Майора, придав им вид стройной системы под названием анимализм. По ночам, когда Джонс заваливался спать, они назначали в сарае тайные сходки, где излагались важнейшие принципы нового учения. Поначалу они столкнулись с дремучим невежеством и апатией.

Одни напирали на чувство долга по отношению к мистеру Джонсу, которого они величали не иначе как «Хозяин». При этом доводы звучали самые что ни на есть примитивные: «Он нас кормит. Без него мы умрем от голода». Другие спрашивали: «Не все ли нам равно, что будет после нашей смерти?» или «Зачем готовиться к Восстанию, если оно когда-нибудь и так произойдет?». Совсем было не просто вбить им в головы, что подобные взгляды противоречат самому духу анимализма. Особенно все намучились с Молли, хорошенькой, но удивительно глупой кобылкой.

— А после Восстания сахар будет? — первым делом спросила она у Цицерона.

— Нет, — твердо сказал Цицерон. — Без сахара мы спокойно обойдемся. Да и зачем он, сахар, когда тебе засыплют сена и овса полную кормушку?

— А заплетать ленты в гриву можно будет? — не унималась Молли.

— Товарищ, — посуровел Цицерон, — неужели ты не понимаешь, что твои ленты — это все разные цвета рабства! Неужели свобода не стоит всех ленточек мира?

Молли согласилась, но в ее тоне как-то не чувствовалось энтузиазма.

Еще больше сил ушло на идейную борьбу с Моисеем, ручным вороном. Этот шпион и сплетник (кстати, любимчик Джонса) был мастер рассказывать небылицы.

Есть, говорил он, сказочное место — Елинесейские поля, где все животные пасутся после смерти. И находятся они будто бы на небе, только из-за облаков не видно. На Елинесейских полях, говорил Моисей, всегда вволю ели, хотя никогда не сеяли, и, мол-де, клевер там цветет круглый год, а кусковой сахар и льняные жмыхи растут на каждом заборе.

Большинство животных, конечно, презирало Моисея за его праздность и дурацкие выдумки, но кое-кто верил в существование Елинесейских полей, и, лишь утроив свои усилия, сумели кабанчики поколебать эту веру.

Кто сразу пошел за ними, так это ломовые лошади, Хрумка и Работяга. Эти двое были не способны дойти до чего-либо своим умом, но после того, как им все разжевали, они стали самыми надежными проводниками свинских идей; они внедряли их в сознание масс с помощью простейших формулировок. Они не пропускали ни одной тайной сходки, и в общем хоре, исполнявшем «Скот домашний, скот бесправный» после каждого собрания, их голоса звучали сильнее прочих.

Как показали дальнейшие события, путь к Восстанию оказался более коротким и легким, чем ожидалось. Мистер Джонс, всегда управлявший хозяйством жесткой, но уверенной рукой, в последнее время совсем запустил дела. После того как он проиграл тяжбу, влетевшую ему в копеечку, он пал духом и стал все чаще ударять по пиву. Часами просиживал он на кухне в своем виндзорском кресле, читая газеты и отхлебывая из кружки; иногда он размачивал в пиве корки хлеба и угощал Моисея. Его работники облленились и заплутовались, поля заросли бурьяном, кровли многих построек прохудились, живые изгороди потеряли всякий вид, скотина поголадывала.

На дворе уже стоял июнь, подошла пора заготовлять сено. Накануне Иванова дня, в субботу, Джонс отправился в Уиллингдон и так назюзюкался в кабачке «Рыжий лев», что обратно прибыл только к полудню следующего дня. Его работнички с утра пораньше подоили коров, а остаток дня посвятили охоте на диких кроликов, так что скотина осталась некормленной. Вернувшись, Джонс прилег на диванчике в гостиной с намерением почитать «Новости дня» и, прикрыв лицо газеткой, моментально отклю-

Джордж Оруэлл

чился, даже не вспомнив о несчастной животине. В конце концов голод взял свое. Какая-то буренка рогами вышибла хлипкую дверцу, и все узники, томившиеся в своих загонах, стали рваться на волю. Тут-то Джонс и продрал глаза. Он и четверо его работников ворвались в хлев, раздавая удары кнутом направо и налево. Голодные животные уже просто озверели. Вся эта неуправляемая стихия обрушилась на тиранов. В ход пошли рога и копыта. Люди были застигнуты врасплох. Этот решительный отпор со стороны тех, кто всегда помалкивал, кто безропотно сносил побои и унижения, нагнал на них даже не страх — ужас. Они позорно оставили поле боя и быстрым аллюром понеслись по гужевой дороге, что выводила на большак. А за ними победоносно катил ревущий вал.

Из окна спальни выглянула миссис Джонс, мгновенно оценила обстановку и, побросав в саквояж кой-какое добро, улизнула с черного хода. Моисей снялся со своего шестка и с заполошным криком маханул за хозяйкой. А Джонс и его люди уже пылили по большаку. С лязгом захлопнулись железные ворота. Это означало, что восставшие — подумать только! — одержали верх: Джонс изгнан, ферма принадлежит им.

Животные не сразу поверили в такую неслыханную удачу. Всем стадом они обежали свои владения, точно желая удостовериться, что на ферме не пахнет человечьим духом. Потом они устремились к хозяйственным постройкам, чтобы уничтожить все следы ненавистного правления. В дальнем конце конюшни они взломали дверь, за которой были сложены удила и другая упряжь, железные кольца, что продеваются в ноздри, и чудовищные ножи, которыми Джонс кастрировал свиней и овец. Все полетело в колодец. Во дворе был разложен костер, и вместе с кучей мусора в нем исчезли вожжи и недоуздки, наглазники и позорные торбы для овса. И, разумеется, кнуты. Когда их охватило пламя, животные на радостях устроили настоящую парнокопытную чечетку. Цицерон также бросил в костер разноцветные ленты, какие обычно вплетают в лошадиные гривы и хвосты по случаю ярмарки.

— Ленты, — сказал он, — это та же одежда, а она *одеждествляется* с человеком. Животные должны ходить голыми.

Услышав это, Работяга принес соломенную шляпу, которую он натягивал на уши как средство от мух, и тоже предал ее огню.

В два счета животные уничтожили все, что напоминало им о мистере Джонсе. После этого Наполеон привел их в амбар и выдал каждому по двойной мере овса, а собакам — по две лепешки. Затем они спели «Скот домашний, скот бесправный» семь раз кряду и только тогда угомонились. Никогда еще их сон не был таким счастливым. Проснулись они, как всегда, с рассветом и, осознав всю грандиозность случившегося, гурьбой повалили на свежий воздух. Сразу

Джордж Оруэлл

за пастбищем возвышался холм, с которого открывался вид на ферму. С вершины этого холма животные окинули взглядом окрестности, лежавшие как на ладони в лучах утреннего солнца. Все это принадлежало им, им одним! Они носились кругами в каком-то безумии, выкидывали немыслимые коленца. Они катались по росе, набивая рот сладкой сочной травой, выбивали копытами комья чернозема, упиваясь дурманящим запахом. Потом был сделан инспекционный осмотр сенокоса, фруктового сада, пруда, рощицы, пашни. Осмотр проходил в благоговейной тишине — животные словно впервые все это видели и никак не могли поверить, что это их собственность.

И вот они остановились в молчании перед господским домом. Он теперь тоже принадлежал им, но животный страх мешал им переступить порог. Наконец Цицерон с Наполеоном толкнули плечом дверь, и живая цепочка боязливо потянулась в дом. Осторожно, на цыпочках, чтобы, чего доброго, не попортить обстановку, все переходили из комнаты в комнату, тихо ахая при виде такого роскошества: кровати с пуховыми перинами, зеркала, кушетка с торчащим из прорех конским волосом, ворсистый ковер, литография (с изображением королевы Виктории) над камином. Когда визит подошел к концу и все уже спускались по лестнице, вдруг кто-то хватился Молли. Ее нашли в женской спальне. С блаженно-глуповатым выражением на морде она примеряла перед зеркалом голубую ленту, найденную в туалетном столике миссис Джонс. Высказав Молли все, что они о ней думают, животные покинули апартаменты. Из кухни были вынесены висевшие там окорока (позже преданные земле), а в кухне копытом Работяги была разнесена в щепы бочка пива; больше ничего не тронули. Открытым голосованием на месте было вынесено решение сохранить дом как исторический памятник. Так же единогласно постановили, что ни одно животное не опустится до того, чтобы жить в доме.

После завтрака Цицерон с Наполеоном объявили общее собрание.

— Товарищи, — сказал Цицерон, — сверим, так сказать, наши часы...

Сейчас половина седьмого, впереди у нас трудный день — мы начинаем заготовку сена. Но прежде важное дело.

Оказалось, за три месяца, предшествовавшие Восстанию, свиньи выучились читать и писать по старенькому букварю, который когда-то прошел через руки детей мистера Джонса и позже был выброшен за ненадобностью. Наполеон послал Делового за масляной краской, черной и белой, а сам повел массы к главным воротам. Когда ведра с краской были доставлены, Цицерон, дальше других продвинувшийся в грамоте, зажал кисть в своем раздвоенном копытце, обмакнул ее в краску и, замазав на воротах первое слово в названии фермы (а называлась она, напомним, «Райский уголок»), исправил надпись на «Скотский уголок», еще раз замазал и вывел: «Скотный двор». Отныне и вовеки за фермой закреплялось новое название. Затем было послано за лестницей, которую приставили с торца к сараю. Последовало очередное разъяснение, а именно: за эти три месяца свиньи не только создали передовое учение, но и сформулировали его главнейшие принципы, которые свелись к семи заповедям. Этим заповедям предстояло быть начертанными на стене сарая, чтобы обрести силу закона, обязательного для нынешнего и будущих поколений. С известным трудом взобравшись на нужную высоту (еще вчера свинья и лестница казались понятиями несовместимыми), Цицерон окунул кисть в ведро, которое держал Деловой, стоявший двумя ступеньками ниже. На промазанной дегтем стене, белым по черному, появились аршинные буквы — такие будут видны откуда угодно. Текст гласил:

1. Всякое двуногое — враг.

2. Всякое четвероногое или крылатое — друг.

3. Не носи одежду.

4. Не спи в постели.

5. Не пей.

6. Не убивай себе подобного.

7. Все животные равны.

Надписи получились аккуратные, и орфография не подкачала, если не считать таких пустяков, как «друг» через «к» и буква «я», повернутая в обратную сторону. Цицерон прочел вслух написанное. Все покивали в знак согласия, а наиболее подкованные (Хрумка и Работяга как раз к ним не относились), не мешкая, принялись учить заповеди наизусть.

— А сейчас, товарищи, все на сенокос! — Цицерон простер копытце, освобожденное от малярной кисти. — Докажем, что мы можем работать лучше, чем Джонс и его люди!

Тут коровы, давно переминавшиеся с ноги на ногу, замычали в три глотки.

Коров не доили целые сутки, и их разбухшие вымена готовы были разорваться.

Обмозговав это дело, свиньи велели принести ведра и сами взялись за коровьи сосцы. Для первого раза у них получилось совсем неплохо, даром что копытные, и вот уже пять ведер до краев пенились парным молоком, вызывая неподдельный интерес у окружающих.

— И куда его теперь? — спросил кто-то.

— Иногда Джонс добавлял его в нашу болтушку, — вспомнила одна несушка.

— Не волнуйтесь, товарищи! — Наполеон выступил вперед, заслоняя собой ведра. — С молоком мы разберемся. Главное сейчас — сено. Товарищ Цицерон вам все покажет, а там и я подойду. Вперед, товарищи! Дорога каждая минута!

Все дружно помчались на луг, а когда под вечер вернулись, молоко бесследно исчезло.

Джордж Оруэлл

Глава третья

Много было пролито пота, но усилия животных не пропали даром: результаты сеноуборки превзошли все ожидания.

Сложности, надо сказать, встречались на каждом шагу. Орудия труда предназначены для человека, а так как животные не могут стоять на задних конечностях, то большинство орудий оказались для них, увы, недоступными. Но зато лошади знали луг как свои четыре копыта и в заготовке сена смыслили куда больше, чем Джонс и его люди. К тому же свиньи, проявляя чудеса изобретательности, находили выход из любых положений.

В работе как таковой свиньи участия не принимали — они осуществляли общее руководство. С учетом их теоретической подготовки вопрос о лидерстве решился сам собой. Работяга и Хрумка сами впрягались в сенокосилку или конные грабли (удила и вожжи, естественно, уже не требовались) и методично прочесывали поле, а рядом трусила свинья и подбадривала: «Веселей, товарищ! Поровней, товарищ!» Остальные животные, вплоть до самых слабосильных, собирали сено и складывали его в валки. Даже утки и куры, невзирая на палящий зной, сновали взад-вперед с соломинками в клюве. Одним словом, уборочная страда была закончена на два дня раньше обычного и практически без потерь. Глазастые птенцы подобрали все до последней травинки, а уж о том, чтобы кто-нибудь украл даже на один клевок, и говорить нечего.

Все лето ферма работала как часы. Впервые в жизни животные были по-настоящему счастливы. То, что раньше именовалось кормежкой, превратилось в источник острейшего наслаждения, ведь теперь пища всецело принадлежала им — сам производишь, сам потребляешь, не надо ждать милостей от прижимистого хозяина. После того как они избавились от всех этих захребетников, с едой стало гораздо лучше. Равно как и с отдыхом, которым они пока не умели распорядиться. Это не значит, что не было проблем. Например, когда подошел срок убирать пшеницу, им пришлось обмолачивать ее, как во время оно, — ногами, а мякину выдувать своим дыханием, и ничего, справились — свиньи поработали мозгами, Работяга мускулами. Вообще, что касается Работяги, то он вызывал всеобщее восхищение. Он и при Джонсе вкалывал, сейчас же трудился за троих. Порой казалось, что единственная опора фермы — его могучая спина. С утра до поздней ночи он тянул и толкал, всегда оказываясь в самой горячей точке. По его просьбе петух будил его на полчаса раньше, чтобы он мог принести дополнительную пользу до начала рабочего дня. На любую проблему или временное затруднение у него был один ответ: «Работать еще лучше!» Он сделал это своим личным девизом.

　　　　　　　　　Джордж Оруэлл

Каждый вносил свой вклад в общее дело. Птицы, например, подбирая по зернышку, дали прибавку в пять мешков пшеницы. Не было замечено ни одного несуна среди несушек, не слышно было жалоб, что кого-то обмерили или обвесили. Взаимные обиды, свары, грызня — все эти нездоровые явления отошли в прошлое. Никто не сачковал — во всяком случае открыто. Просто Молли не всегда удавалось проснуться вовремя, а после обеда, как нарочно, мелкие камешки забивались между подковой и копытом, что вынуждало ее уходить с поля раньше времени. А кошка — та вела себя просто загадочно. Выявилась странная закономерность: всякий раз, когда бросали трудовой клич, кошки не оказывалось на месте. Ее уже считали без вести пропавшей, но к обеду или к ужину она обязательно появлялась, причем так убедительно объясняла свое долгое отсутствие и так дружелюбно мурлыкала, что невозможно было усомниться в ее искренности. Кто совершенно не изменился после Восстания, так это Бенджамин, старый осел. И при той власти, и при этой он трудился с каким-то медленным упрямством, никогда не отлынивая от работы, но и не прося ничего сверх положенного. О Восстании и произошедших после него переменах он предпочитал не распространяться. На вопрос, не стал ли он счастливее после изгнания Джонса с фермы, следовало неизменное: «Ослы живут долго, вы еще не видели мертвого осла», — и всем оставалось только голову ломать над этим таинственным ответом.

Воскресенье было днем отдыха. Завтракали на час позже, а после завтрака происходила церемония, начинавшаяся с подъема флага. В подсобке, где лежала упряжь и разное старье, Цицерон обнаружил зеленую скатерку миссис Джонс и нарисовал на ней рога и копыта. По воскресеньям это полотнище развевалось на флагштоке в саду. Цицерон объяснил, что зеленый цвет символизирует луга и пастбища, а рога и копыта олицетворяют собой будущую Республику животных, которая утвердится на обломках человеческой цивилизации. После подъема флага все направлялись в большой сарай на генеральную ассамблею, или, проще выражаясь, общее собрание. На собрании намечались контуры предстоящей рабочей недели, обсуждались проекты резолюций. Все проекты готовили свиньи.

Остальных животных научили голосовать, однако готовить проекты резолюций пока не научили. Прения проходили бурно, в чем была несомненная заслуга Цицерона и Наполеона. Эти двое, как быстро выяснилось, были не способны ни о чем договориться: стоило одному сказать «а», как другой тут же говорил «бэ».

Даже решение выгородить за фруктовым садом небольшой лужок, где бы паслись будущие пенсионеры, — кто мог возражать против этого? — вызвало бурную перепалку по поводу возрастной границы для той или иной категории животных.

После собрания все пели «Скот домашний, скот бесправный» и расходились, чтобы провести остаток дня по своему усмотрению.

Свиньи устроили в подсобке свой штаб. По вечерам они изучали там кузнечное и столярное дело, а также другие ремесла по книгам, найденным в доме. Цицерон взялся всерьез за организацию так называемых Животных комитетов. Остановиться он уже не мог. Были образованы Яйценосный комитет — для несушек, Союз по борьбе за чистоту хвоста — для коров, Дикживкультпросвет — для одомашнивания крыс и диких кроликов, Шерстяной комитет — для овец, и проч. и проч., а также курсы ликбеза. Большинство этих начинаний успеха не имело. Попытка приручить диких животных сразу потерпела фиаско: все эти несознательные элементы не желали порывать со своим прошлым и беззастенчиво злоупотребляли проявленным к ним великодушием.

Кошка вступила в Дикживкультпросвет и несколько дней проявляла большую активность. Однажды видели, как она мирно беседует на крыше с воробьями — правда, на расстоянии. Беседа сводилась к тому, что теперь все они братья и сестры и что любой воробей может запросто посидеть у нее на лапе. Воробьи с интересом ее слушали, но на лапу почему-то не садились.

Зато курсы ликбеза себя полностью оправдали. Осень принесла первые плоды просвещения. Свиньи свободно читали и писали. Собаки могли изрядно читать, но, к сожалению, ограничили свой круг чтения семью заповедями.

Козочка Мюриэл отличалась более пытливым умом и вечерами почитывала вслух газету, точнее обрывки газет, обнаруженные на помойке. Бенджамин овладел грамотой не хуже свиней, однако свои знания никак не обнаруживал. На вопрос, почему он ничего не читает, он отвечал коротко: «Смысл?» Хрумка выучила все буквы, правда, складывать из них слова оказалось для нее непосильной задачей. Работяга не пошел дальше О. Копытом нацарапав на земле первые четыре буквы алфавита, он тупо смотрел на них, поводя ушами и встряхивая челкой в отчаянной попытке сообразить, какая следующая. Пару раз он вроде бы сумел осилить Е, Р, С и Н, но когда уже казалось, что дело сделано, вдруг обнаруживалось, что за это время он начисто забыл А, В, С и О. В конце концов он ограничился первыми четырьмя и положил себе за правило писать их хотя бы раз в день для лучшей усвояемости. Молли отказалась учить какие-либо буквы, кроме тех, что составляли ее имя. Она аккуратно выкладывала свое имя из веточек, вплетала для красоты цветочек и потом долго

Джордж Оруэлл

любовалась этим перлом творения, заходя то справа, то слева.

Все прочие животные знали лишь одну букву — А, зато в совершенстве.

Помимо трудностей с чтением возникло дополнительное осложнение: овцы, куры и утки, не отличавшиеся большим умом, никак не могли запомнить семь заповедей. По зрелом размышлении Цицерон пришел к выводу, что все заповеди можно, в сущности, свести к одной максиме: «Четыре ноги хорошо, две ноги плохо». Это короткое изречение, объявил он, есть квинтэссенция анимализма.

Постичь его глубинный смысл значило обезопасить себя от человеческих влияний. Так ведь у нас тоже две ноги, попытались возразить птицы, но Цицерон не дал застигнуть себя врасплох:

— Крылья, товарищи, есть орган летательный, а не хватательный.

Следовательно, его можно рассматривать как разновидность ноги. От нас, животных, человека отличает прежде всего рука, которая есть орудие насилия над живой природой.

Не будем утверждать, что до пернатых дошла логика Цицерона, но они приняли ее на веру и ревностно взялись за дело. На торце сарая, над заповедями, еще более крупными буквами было выведено: ЧЕТЫРЕ НОГИ ХОРОШО, ДВЕ НОГИ ПЛОХО. Затвердив эту мудрость, овцы преисполнились таким восторгом, что в их устах незамысловатая строка стала звучать как песня, которую они могли тянуть часами.

А что же Наполеон? К Цицероновым комитетам он сразу отнесся с прохладцей. Подрастающее поколение, заявил он, вот вопрос вопросов. Тут надо сказать, что вскоре после завершения сеноуборочной кампании ощенились две суки, Джесси и Бесси. Едва щенки, а было их девять, встали на ноги, как Наполеон отнял их у матерей и взял на себя заботу о их воспитании. Он отнес щенков на верхний сеновал, куда можно было попасть, только поднявшись по лестнице непосредственно из подсобки, и там держал их в такой строжайшей изоляции от внешнего мира, что очень скоро все про них забыли.

Между прочим, разъяснилась загадка с постоянным исчезновением парного молока. Его, оказывается, добавляли в корыто для свиней. Впрочем, молоком дело не ограничилось. В саду уже поспевали ранние сорта яблок, и трава была усеяна паданцами. Предполагалось, как нечто само собой разумеющееся, что весь сбор будет поделен поровну, однако неожиданно вышел приказ: паданцы предназначены для откорма свиней, так что их следует собрать и снести в подсобку. Кое-кто попробовал роптать, но это ни к чему не привело. В данном вопросе между свиньями царило полное единодушие, даже у Цицерона с Наполеоном. Делового послали выступить перед массами с необходимыми разъяснениями.

Джордж Оруэлл

— Товарищи! — визгливо начал Деловой. — Неужели вы думаете, что мы, свиньи, ищем для себя выгоды или привилегий? Да если хотите знать, многие из нас не любят ни яблоки, ни парное молоко. Я, например, терпеть не могу. И если мы все же заставляем себя употреблять их в пищу, то исключительно для поддержания своего тонуса. Как доказала наука, товарищи, молоко и яблоки содержат вещества, абсолютно необходимые для жизнедеятельности свиньи. Мы заняты тяжелой умственной работой. Организация производства, вопросы управления — все лежит на нас. День и ночь печемся мы о вашем, товарищи, благополучии. Ради вас мы захлебываемся этим молоком, ради вас давимся этими яблоками. Вы представляете, что произойдет, если мы не справимся со своими обязанностями? Вернутся времена Джонса! Да-да, вернутся! Вы этого хотите? — Голос Делового поднялся до трагических высот, Деловой дрожал всем телом, сучил ножками и подергивал хвостиком. — Вы хотите, чтобы вернулись времена Джонса?!

Что тут можно ответить? Меньше всего на свете животные хотели, чтобы вернулись времена Джонса. Если вопрос ставился так, то спорить было не о чем. Необходимость поддержания тонуса свиней не вызывала сомнений. Одним словом, все сошлись на том, что молоко и паданцы (и вообще большая часть урожая яблок) будут отдаваться свиньям.

Скотный Двор

Глава четвертая

Наступила осень. В графстве только и было разговоров, что о «Скотном дворе». Каждый день Цицерон с Наполеоном посылали голубей во все концы, с тем чтобы они несли животным близлежащих ферм правду о Восстании и разучивали с ними песню «Скот домашний, скот бесправный».

Мистер Джонс в основном торчал в «Рыжем льве», накачиваясь пивом и жалуясь знакомым и незнакомым на злую судьбу, которая потворствует всякому там четвероногому сброду и смотрит сквозь пальцы на то, что человека изгоняют из его законных владений. Фермеры сочувственно кивали, но не спешили предложить помощь. В уме каждый прикидывал, нельзя ли все-таки построить свое счастье на несчастье ближнего. Эта в общем-то здоровая мысль наталкивалась на одно препятствие: непосредственные соседи Джонса были заклятыми врагами, и это связывало обоим руки. Мистер Пилкингтон, жизнерадостный джентльмен, деливший свои деловые интересы между охотой и рыбной ловлей, смотря по сезону, был владельцем «Фоксвуда» — обширных угодий вокруг технически устаревшей и сильно запущенной фермы, где кустарник давно не вырубался, пастбища оголились, а живые изгороди потеряли всякую форму. Владельцем другой фермы — «Пинчфилд» — поменьше и поухоженнее, был мистер Фредерик, человек жесткий, цепкий, неисправимый сутяжник и, как поговаривали, большой любитель биться об заклад. Оба относились друг к другу с такой неприязнью, что даже личная выгода не заставила бы их сделать встречные шаги.

Оба фермера были в равной степени напуганы Восстанием и озабочены тем, чтобы их домашний скот поменьше знал о соседях. В первые дни после Восстания они поднимали на смех саму мысль о том, что животные могут самостоятельно вести хозяйство. Вот увидите, говорили оба, они и двух недель не протянут.

Был даже пущен слух, что в «Райском уголке» (фермеры упорно отказывались признать законным новое название) все уже перегрызлись и вообще вот-вот перемрут от голода. Однако время шло, животные не перемерли, и тогда Фредерик и Пилкингтон сменили пластинку и заговорили о чудовищной вакханалии жестокости и разврата. И каннибализм, дескать, там у них, и раскаленными подковами пытают, и самки у них там общие. Вот оно чем оборачивается, когда восстают против законов природы.

Мало кто верил всем этим байкам. Слухи о необыкновенной ферме, откуда выставили людей и где с тех пор всем заправляют животные, распространялись, обрастая фантастическими подробностями, и волны свободолюбия прокатывались то тут, то там. Всегда послушные быки вдруг становились неуправляемыми, овцы ломали загоны и объедались клевером, коровы во время дойки переворачивали ведра, верховые лошади отказывались брать препятствия и сбрасывали седоков.

Но это еще не все — повсюду звучала мелодия и даже слова крамольной песни.

На удивление быстро облетела она все графство. При первых же звуках люди закипали от ярости, хотя старательно делали вид, будто ничего смешнее им слышать не приходилось. Петь такую чушь, говорили они, это ж додуматься надо. Животное, застигнутое на месте преступления, подвергалось бичеванию.

Но песня звучала! Ее насвистывали дрозды в кустах, ее подхватывали голуби в кронах вяза, она слышалась в ударах молота по наковальне и в перезвоне церковных колоколов. И люди вздрагивали, как будто песня предрекала им скорую гибель.

В один из первых дней октября, когда пшеница была сжата и частично обмолочена, воздух затрепетал от внезапно слетевшихся голубей, которые в превеликом возбуждении спешили на «Скотный двор» с ужасной вестью. Джонс со своими работниками и еще дюжина людей из «Фоксвуда» и «Пинчфилда» открыли главные ворота и направляются к ферме! Все они вооружены дубинками, а сам Джонс, идущий во главе, держит наготове ружье. Они наверняка попытаются отбить ферму!

Животные этого давно ждали и загодя приготовились. Оборону возглавил Цицерон, в свое

Джордж Оруэлл

время проштудировавший в библиотеке Джонса «Записки о Галльской войне» Юлия Цезаря. Он отдавал приказания быстро и четко, и в считаные минуты каждый успел занять свой боевой пост.

Подпустив людей поближе, Цицерон дал отмашку. В воздух поднялись голуби, числом до тридцати пяти, и спикировали на неприятеля. Пока тот от них отмахивался, из кустов выскочили гуси и принялись вовсю щипать людей за икры. Впрочем, это был лишь первый выпад, рассчитанный скорее на то, чтобы внести в ряды противника легкое замешательство, и люди без особого труда отогнали гусей дубинками. Тут Цицерон ввел в бой свежие силы. Под его доблестным началом Бенджамин, Мюриэл и весь личный состав овец бросились вперед и стали бодать и колоть неприятеля. Бенджамин еще успевал поворачиваться и лягать то одного, то другого своими копытами. И снова люди оказались сильнее: дубинки и кованые сапоги сделали свое дело. Цицерон пронзительным визгом подал сигнал к отступлению, и все животные спешно ретировались на скотный двор.

Люди издали победный клич. Видя, что противник в страхе бежит, они начали его преследовать, забыв о стройности своих рядов. На это Цицерон и рассчитывал. Как только люди ворвались во двор, все три лошади, три коровы и свиньи, устроившие в коровнике засаду, в несколько прыжков отрезали им путь к отступлению. Цицерон скомандовал атаку и первым ринулся на Джонса. Тот, недолго думая, дал залп из ружья. Спину Цицерона обагрила кровь; рядом замертво рухнула овца. Не сбавляя хода, Цицерон всей своей массой врезал Джонсу по ногам. Тот отлетел на несколько метров и, потеряв ружье, упал на навозную кучу. Но еще более впечатляющими были действия Работяги, который вставал на дыбы и наносил сокрушительной силы удары мощными копытами. Первый же такой удар разбил голову мальчишке-конюшему из «Фоксвуда». При виде бездыханного тела люди побросали дубинки и показали спину. Они заметались в панике, не успевая увертываться от рогов, зубов, копыт, клювов. Не было животного, которое бы не выместило на человеке своих обид. Откуда-то с крыши на пастуха спрыгнула кошка и вцепилась когтями в шею, отчего тот заорал благим матом. В какой-то момент, увидя брешь в цепи противника, люди задали стрекача. Не прошло и пяти минут после их вторжения, как они уже спасались позорным бегством, и стадо гусей с шипением гнало их обратно к главным воротам, щипля за ляжки.

На поле боя остался один убитый. Работяга тщетно пытался расшевелить копытом мальчишку-конюшего, лежавшего ничком в грязи.

— Мертвый, — с горечью сказал Работяга. — Я не хотел. Я забыл, что у меня железные подковы. Я правда не хотел!

— Забудь о жалости, товарищ! — вскричал Цицерон, истекавший кровью. — На войне как на войне. Хороший человек — это мертвый человек.

— Я не хочу ничьей смерти, даже человеческой, — в глазах Работяги стояли слезы.

— А где Молли? — вдруг спросил кто-то.

В самом деле, Молли нигде не было видно. Все не на шутку встревожились.

Уж не ранена ли она? А может, люди увели ее с собой? После долгих поисков ее нашли в стойле; она зарылась мордой в ясли с сеном, так что торчали одни уши. Молли дезертировала, едва раздался ружейный залп. Успокоенные тем, что она жива-невредима, все потянулись на скотный двор и, к удивлению своему, обнаружили, что «бездыханное тело» сбежало — вероятно, мальчишка был только ранен, а не убит.

Еще не успевшие остыть после сражения, животные наперебой вспоминали свои ратные подвиги. Стихийно началось празднование победы. Подняли флаг, спели раз пять «Скот домашний, скот бесправный». Погибшую овцу торжественно предали земле и на этом месте посадили куст боярышника. Цицерон произнес над могилой короткую речь, в которой призвал животных, если понадобится, отдать жизнь за родную ферму.

Единодушно было решено учредить боевую награду — «Животная доблесть» 1-й степени — и наградить ею Цицерона и Работягу. Среди

Скотный Двор

упряжи, лежавшей в подсобке, нашлись медные конские бляхи, каковые и стали медалями, и носить их полагалось исключительно по светлым животным праздникам. Медалью «Животная доблесть» 2-й степени была награждена овца (посмертно).

Долго спорили, как следует назвать сражение. Остановились на Битве при Коровнике, имея в виду его решающую фазу. Дробовик мистера Джонса был очищен от грязи. Так как в доме нашлись патроны, порешили поставить под флагштоком ружье как бы вместо пушки и два раза в год давать из него залп — двенадцатого октября, в годовщину Битвы при Коровнике, и в Иванов день, ознаменовавшийся Восстанием.

Глава пятая

С приближением зимы поведение Молли становилось все более вызывающим.

Она постоянно опаздывала на работу, оправдываясь тем, что проспала, и целыми днями жаловалась на непонятные боли, которые, впрочем, нисколько не влияли на ее аппетит. Под любым предлогом она сбегала к водопою и там подолгу стояла, бессмысленно таращась на свое отражение. Числилось за ней и кое-что посерьезней. Однажды, когда она вошла во двор своей легкой походкой, поигрывая хвостом и меланхолично перекатывая во рту соломинку, к ней направилась Хрумка.

— Молли, у меня к тебе серьезный разговор. Сегодня я видела тебя возле изгороди, что отделяет нас от «Фоксвуда». По ту сторону стоял кто-то из людей мистера Пилкингтона. Конечно, я находилась далековато, но, по-моему, ты подставляла ему морду, а он тебя гладил и что-то говорил при этом. Что все это значит, Молли?

— Он не гладил! Я не подставляла! Это неправда! — Молли вертела головой по сторонам и нервно ковыряла копытом землю.

— Молли, посмотри мне в глаза! Дай мне честное слово, что он тебя не гладил.

— Это неправда! — повторила Молли, продолжая вертеть головой, а потом не выдержала и галопом пустилась в чистое поле.

Хрумка поймала себя на неожиданной мысли. Не говоря никому ни слова, она направилась к Молли в стойло и принялась ворошить на полу сено. И вдруг на свет явилась пригоршня кускового сахара, а также мотки лент разного цвета.

Через три дня Молли исчезла. Довольно долго о ее местонахождении ничего не было известно, пока голуби не принесли в клюве новость, что ее видели в другом конце Уиллингдона. Запряженная в шикарную коляску, она стояла перед входом в паб, и краснощекий толстяк в клетчатых бриджах и гетрах, этакий *респабликанец,* угощал ее сахарком и оглаживал. Блестящая шерстка волосок к волоску, челка алой лентой подвязана, морда дово-о-льная!.. С этого момента Молли перестала для них существовать.

Январь выдался суровый. Почва сделалась как камень, работы перенесли под крышу. В промежутках между собраниями свиньи намечали планы подготовки к весне. Так уж повелось, что все стратегические хозяйственные вопросы решала интеллектуальная элита, а уж потом они ставились на голосование. Эта система себя бы полностью оправдала, когда бы не постоянные разногласия между Цицероном и Наполеоном. Не было пункта, по которому бы они не расходились.

Если один предлагал посеять больше ячменя, другой требовал увеличить площадь под овес; стоило одному выбрать подходящее место для выращивания капусты, как другой рвался сажать там корнеплоды. У каждого были свои сторонники, поэтому дебаты разгорались нешуточные. На общих собраниях Цицерон, как правило, получал большинство голосов благодаря своим зажигательным речам, зато Наполеон отыгрывался в паузах. Его горячо поддерживали овцы. К месту и не к месту они затягивали «Четыре ноги хорошо, две ноги плохо», даже на собраниях, причем, что любопытно, как раз в моменты, когда слова Цицерона звучали наиболее убедительно. Цицерон, надо сказать, внимательно изучил старые подшивки «Рачительного хозяина» и был полон планов грандиозных нововведений и преобразований. Со знанием дела говорил он о дренаже, о силосовании, об удобрении почвы, он разработал научный метод отправления естественных надобностей, при котором поля будут унавоживаться: а) контактным способом, б) равномерно и в) с полным высвобождением транспортных средств. Что до Наполеона, то он не выдвигал оригинальных теорий, он предпочитал принижать открытия соперника и ждал своего часа. Ну а стычки продолжались и достигли своего апогея в вопросе о строительстве ветряной мельницы.

Как мы знаем, за пастбищем возвышался холм — высота, господствующая над местностью. После предварительного осмотра Цицерон объявил, что именно здесь следует поставить ветряк, от которого будет работать динамо-машина, обеспечивая ферму электричеством. И вспыхнет в стойлах свет, а зимой в них придет тепло, и сами заработают циркулярная пила, и свеклорезка, и электродоилка. Животные развесили уши (на их допотопной ферме сроду не бывало ничего такого), а Цицерон продолжал рисовать картины электрифицированного рая, где все будут делать машины, а животные палец о палец не ударят, им останется только пощипывать травку за приятной беседой или наслаждаться книгой, источником знаний.

Цицерону потребовалось несколько недель на разработку проекта ветряной мельницы. Все практические сведения были почерпнуты из трех источников: «Тысяча полезных мелочей», «Домострой» и «Введение в электротехнику».

Кабинетом послужил ангар (когда-то там стояли инкубаторы) с хорошим деревянным настилом, на который удобно было наносить чертежи. Цицерон часами пропадал в ангаре. Заложив в книгах нужные страницы камешками и вооружившись мелком, он перебегал от одной схемы к другой и, добавляя там сплошную линию, здесь пунктирную, тихо повизгивал от возбуждения. Со временем случайные, на первый взгляд, наброски образовали сложную систему шестеренок и кривошипов, производившую сильное впечатление уже одной своей непонятностью. По меньшей мере раз в день животные приходили в ангар полюбоваться Цицероновыми чертежами. Даже самые необразованные, куры и утки, топтались между различными узлами, стараясь не наступить на эти создания нечеловеческого гения. Один Наполеон держался в стороне — он с самого начала высказался против мельницы. Тем более неожиданным было его появление. Тяжелой походкой он обошел ангар и внимательно все рассмотрел, раза два фыркнув при этом; затем он ненадолго задумался, как бы уже не обращая внимания на чертежи, и вдруг, задрав ногу, так обильно выразил к ним свое отношение, что никакие слова уже не понадобились. После чего он покинул помещение.

Из-за мельницы произошел настоящий раскол. Цицерон не отрицал, что построить ветряк будет совсем не просто. Надо доставить камень, сложить стены, сделать деревянные крылья, а потом еще где-то раздобыть динамо-машину и кабель. (Где — пока было неясно.) Цицерон, однако, утверждал: в год можно уложиться. И тогда животные будут работать всего три дня в неделю. Со своей стороны, Наполеон настаивал на том, что главная задача момента — это решение продовольственного вопроса и что, пока они будут заниматься ветряными мельницами, все просто с голоду подохнут. Животные разделились на две партии, каждая со своим девизом: «Голосуйте за Цицерона и трехдневную рабочую неделю» и «Голосуйте за Наполеона и полную кормушку». Единственным, кто не примкнул ни к одной из партий, был Бенджамин. Он не верил ни в изобилие еды, ни в спасительную мощь ветряной мельницы. С мельницей или без мельницы, говорил он, жизнь может дать только одно облегчение — кишечника.

Другим яблоком раздора был оборонный вопрос. Все прекрасно понимали: хотя люди и потерпели поражение в Битве при Коровнике, в любой момент возможна новая, более решительная попытка вернуть себе отнятое. Это представлялось тем более вероятным, что слухи о победе восставших распространились далеко за пределами «Скотного двора» и весьма воодушевили животных на соседних фермах. Тут-то в очередной раз и схлестнулись Цицерон с Наполеоном. Наполеон призывал запасаться оружием и спешно овладевать боевыми навыками. Цицерон призывал снова и снова посылать голубей, с тем чтобы пламя Восстания перекинулось на другие фермы. Из слов первого вытекало, что, если они не научатся защищаться, они погибли; из слов второго вытекало, что, если Восстание победит повсеместно, отпадет необходимость в защите. Животные выслушивали Наполеона, выслушивали Цицерона — и переставали понимать, кто из них прав... правым всегда казался тот, кто говорил в данный момент.

И вот наконец Цицерон завершил свой труд. В ближайшее воскресенье вопрос, нужна или не нужна ветряная мельница, ставился на голосование. Когда все собрались, Цицерон взял слово и, невзирая на помехи со стороны овец, изложил свои доводы в пользу строительства ветряка. Слово взял Наполеон. Не повышая голоса, он назвал мельницу совершеннейшей ахинеей, о которой и говорить-то неловко, и тут же сел, демонстрируя полное равнодушие к сказанному. Вся речь заняла от силы полминуты. Цицерон вскочил со своего места и, перекрывая блеянье овец, произнес страстную речь в защиту мельницы.

До этого момента симпатии слушателей делились примерно поровну, но элоквенция Цицерона не могла не захватить их. Яркими красками нарисовал он завтрашний день «Скотного двора», когда труд перестанет быть тяжкой обузой. Его воображение на этот раз не остановилось на циркулярной пиле и свеклорезке. Электричество, гремел он, приведет в движение молотилки и плуги, бороны и газонокосилки, жнейки и сноповязалки, не говоря уже о том, что в каждом стойле осуществится голубая мечта всякого животного: тепло, светло и мухи не кусают. Когда он кончил, исход голосования не вызывал сомнений. Но тут снова встал Наполеон и, как-то странно покосившись на Цицерона, неожиданно завизжал не своим голосом.

В тот же миг со двора раздался душераздирающий лай, и, о ужас, в сарай ворвались девять огромных псов в ошейниках с медными бляшками. Они набросились на Цицерона, и только необыкновенное проворство уберегло его от железных челюстей. В мгновение ока очутился он за порогом. От страха потерявшие дар речи, животные сгрудились в дверях сарая и молча наблюдали за погоней. Цицерон припустил кратчайшим путем через узкий вытянутый в сторону дороги луг. Он несся со скоростью свиньи, преследователи наседали на пятки.

Вдруг он поскользнулся, и казалось, ему крышка, но он еще прибавил обороты и сумел оторваться, и снова его стали настигать. Один из псов уже было цапнул его за кончик хвоста, Цицерон еще наддал. Находясь на волосок от гибели, он нырнул под изгородь и был таков.

Все возвращались назад молчаливые и подавленные. Вскоре в сарай ввалились псы. Откуда они вообще взялись? Недоуменные вопросы рассеялись довольно быстро: в этих зубастых молодчиков превратились те самые щенки, которых Наполеон некогда отнял у матерей и выкормил в строжайшей тайне.

Скотный Двор

Полугодовалые, они поражали своими размерами, а свирепым видом походили на волков. От Наполеона они не отходили ни на шаг. И виляли перед ним хвостом точно так же, как раньше другие псы виляли хвостом перед мистером Джонсом.

В сопровождении собачьей охраны Наполеон взобрался на помост, где однажды держал речь покойный Майор. Воскресные собрания, сказал Наполеон, отменяются. Он назвал их пустой тратой времени. Впредь всеми производственными вопросами станет заниматься специальный свинский комитет (свинком) под председательством самого Наполеона. Заседания будут закрытыми, принятые решения будут доводиться до общего сведения. По воскресеньям животные, как и прежде, будут поднимать флаг и петь «Скот домашний, скот бесправный», будут получать рабочее задание на неделю, но — никаких дебатов.

Слова Наполеона вызвали оторопь, хотя после увиденного все и так пребывали в шоке. Кое-кто хотел возразить, но не находил подходящих аргументов. Даже Работяга затуманился. Он прижал уши и несколько раз встряхнул челкой, пытаясь собраться с мыслями, но, видимо, так ничего и не собрал. Протест стихийно возник там, где его меньше всего можно было ожидать. В переднем ряду четыре поросенка завизжали, загалдели, потом повскакивали со своих мест и стали что-то кричать, перебивая друг

Джордж Оруэлл

дружку. На них рыкнули псы из охраны, и поросята сели, разом прикусив языки. Тут овцы закатили минут на пятнадцать концерт, грянув свое ударное «Четыре ноги хорошо, две ноги плохо», и на этом вся дискуссия закончилась.

Позднее, когда все разошлись, Деловой пошел в массы разъяснять новую политику.

— Товарищи, — сказал он, — я надеюсь, каждый из вас оценил, какую жертву принес товарищ Наполеон, взяв на себя дополнительное бремя власти.

Только не надо думать, будто роль лидера доставляет ему удовольствие. Это огромная, тяжелая ответственность. Да, у нас все животные равны, и товарищ Наполеон никому не позволит поставить это под сомнение. Но в ряде случаев, товарищи, вы можете принять неверное решение, и что тогда? Взять хотя бы Цицерона с его завиральными идеями строительства ветряной мельницы... вдруг кто из вас — даже подумать страшно! — дал бы себя увлечь этому бандиту?

— Он храбро сражался в Битве при Коровнике, — напомнили оратору.

— Быть храбрым мало, — возразил Деловой. — Главное — исполнительность и преданность общему делу. Что касается Битвы при Коровнике, то еще придет время, и мы поймем, что вклад Цицерона в нашу победу был сильно преувеличен.

Дисциплина, товарищи, и еще раз дисциплина! Вот лозунг сегодняшнего дня.

Один ложный шаг — и нас раздавят наши враги. Или, может быть, кто-то хочет, чтобы вернулись времена Джонса?

И снова спорить было не о чем. Нет, никто не хотел, чтобы вернулись времена Джонса. Если возврат к старому каким-то образом зависел от воскресных дебатов, значит, воскресные дебаты следовало отменить. Работяга, успевший за это время собрать свои мысли, выразил общий настрой: «Товарищ Наполеон знает, что говорит». Кстати, с этого дня к его прежнему девизу «Работать еще лучше» добавился новый: «Наполеон всегда прав».

А между тем установилась теплая погода, пришла пора весенней пахоты.

Ангар с чертежами будущей мельницы заколотили, сами чертежи, скорее всего, затерли половой тряпкой. По воскресеньям в 10.00 животных собирали в большом сарае, и каждое получало задание на неделю. Из могилы был извлечен череп Майора, который поместили под флагштоком, рядом с ружьем. После подъема флага животные проходили торжественным маршем мимо черепа незабвенного кабана и уже затем направлялись в сарай. Прежний порядок, когда все сидели вместе, был отменен. Наполеон, Деловой и еще один свиненок по кличке Шибздик, прирожденный поэт-песенник, занимали первые места на помосте, за ними полукругом располагались псы-охранники, за псами — остальные свиньи.

Джордж Оруэлл

Все прочие животные устраивались на полу сарая, лицом к помосту. Наполеон отрывисто, по-солдатски зачитывал наряды на работу, после чего все пели «Скот домашний, скот бесправный» (один раз) и расходились.

Через три недели после изгнания Цицерона, в очередное воскресенье, животные не без удивления услышали на утреннем инструктаже, что ветряная мельница все-таки будет строиться. Наполеон не объяснил, чем вызвана перемена его решения, просто предупредил, что потребуется удвоить, а то и утроить усилия; не исключено, добавил он, что будут урезаны пайки. Как выяснилось, специальная комиссия из числа свиней осуществила за три недели детальную проработку проекта. Строительство ветряка и в целом модернизация производства, по расчетам, должны были занять два года.

Вечером того же дня Деловой приватным образом разъяснил каждому, что Наполеон, в сущности, ничего не имел против мельницы. Наоборот, именно он выдвинул эту идею, Цицерон же выкрал у него всю техническую документацию и уже по ней набросал чертежи на полу ангара. Так что ветряк был, можно сказать, любимым детищем товарища Наполеона. Тогда почему, спросил кто-то, он даже слышать не хотел ни о какой мельнице? Деловой лукаво прищурился.

Оказывается, товарищ Наполеон пошел на хитрость. Он делал вид, что не хочет слышать ни о какой мельнице, с помощью этого маневра он рассчитывал избавить ферму от Цицерона, который при его коварстве действовал на всех разлагающе.

Теперь, когда нечего бояться очередного свинства с его стороны, можно смело приступать к строительству. Деловой объяснил, что это называется тактикой.

«Тактика, товарищи, тактика!» — радостно повторял он, суча ножками и подергивая хвостиком. Животные не очень-то понимали смысл этого слова, но Деловой говорил так убедительно, а случившиеся рядом три пса рычали так угрожающе, что они не стали задавать лишних вопросов.

Глава шестая

Весь год животные ишачили с утра до вечера. И все же они были счастливы. Любые тяготы и жертвы казались не напрасными: трудились-то на себя и на благо своих детей, а не на кучку двуногих грабителей и бездельников.

Весной и летом ферма жила в режиме десятичасового рабочего дня. В августе Наполеон отменил выходные; правда, было объявлено, что воскресный труд — дело сугубо добровольное. Однако всем, кто уклонится от работы, будут вдвое урезаны пайки. При всем при том часть плановых заданий оказалась сорвана. Не потянули с урожаем (по сравнению с прошлым годом), не посадили корнеплоды, затянув весеннюю вспашку. Зима обещала быть трудной.

Джордж Оруэлл

С ветряной мельницей вышли непредвиденные осложнения. Рядом с фермой находился известняковый карьер, а в одной из надворных построек обнаружились запасы песка и цемента, так что со стройматериалами проблемы не было. Зато возникла проблема, как дробить породу. Без кирки или лома вроде не обойтись, а как, спрашивается, их держать, когда ты стоишь на четвереньках? После недель бесплодных попыток кто-то додумался использовать силу тяжести. На дне карьера лежали огромные глыбы, и вот, обвязав их веревками, коровы, лошади, овцы, а в наиболее критические моменты даже свиньи, — словом, всем миром, натужно, пядь за пядью втаскивали глыбу наверх, а затем сбрасывали с откоса, так что она сама раскалывалась. Дальнейшее, как говорится, было делом техники. Куски известняка доставляли к месту назначения, кто как — лошади на тележках, Бенджамин и Мюриэл в легкой старенькой двуколке, а овцы — волоком.

Так или иначе, дело продвигалось медленнее, чем хотелось бы. Порой целый день уходил на то, чтобы из последних сил втащить наверх здоровенную глыбу... а потом она скатывалась к подножию холма и не разбивалась. Без Работяги, который один стоил всей команды, ничего бы не вышло. Бывало, глыба уже готова сорваться обратно в карьер, увлекая за собой отчаянно кричащих животных, но тут Работяга упирался всеми четырьмя ногами и удерживал неподъемный вес. Одно загляденье было наблюдать, как он упрямо, с медлительностью улитки, лезет вверх, буравя копытами каменистый склон, как легкие работают словно кузнечные мехи, как ходуном ходят мощные бока, лоснящиеся от пота. Хрумка не раз просила его не перенапрягаться, но Работяга пропускал ее слова мимо ушей. У него на все был один ответ, а точнее два: «Работать еще лучше» и «Наполеон всегда прав». Он передоговорился с петухом, чтобы тот будил его за сорок пять минут до общего подъема. Если же выдавалось немного свободного времени — а его теперь не много выдавали, — Работяга спускался в карьер, загружал тележку и тащил ее в гордом одиночестве.

К концу лета, когда запас известняка сочли достаточным, началось строительство ветряной мельницы под чутким руководством свиней.

Несмотря на тяжелые условия работы, жаловаться, в общем-то, было грех.

Если еды не прибавилось (по сравнению с пресловутыми временами правления мистера Джонса), то, по крайней мере, и не убавилось. Одно то, что животным не надо было кормить пятерых дармоедов, перевешивало любые минусы. Не говоря уже о том, что труд стал более эффективным и экономичным. К примеру, прополка сорняков осуществлялась с тщательностью, о которой люди могли только мечтать. Или такой момент: поскольку животные сами у себя не воровали, отпала необходимость огораживать

Джордж Оруэлл

поля под зерновыми культурами, а значит, не уходили лишние силы на установку и починку плетней. Однако к исходу лета начались перебои то с одним, то с другим. Не хватало парафина, подков, гвоздей, бечевы, лепешек для собак, — а главное, не было никакой возможности самим обеспечить себя всем этим. Со временем понадобятся семена и минеральные удобрения, кой-какая техника и, наконец, оборудование для ветряной мельницы. Где, спрашивается, все это взять?

Однажды утром на воскресном инструктаже Наполеон объявил новый курс. С этого дня «Скотный двор» начинает торговать с соседями — о нет, не с целью извлечения прибыли, а исключительно для приобретения самого необходимого. Интересы мельницы, сказал Наполеон, должны быть поставлены во главу угла. Планировалось продать немного сена и часть собранной пшеницы, если же вырученных средств окажется недостаточно, то и большую партию яиц, которые всегда пользуются спросом на рынке. Пусть эта жертва окрылит наших кур, сказал Наполеон, а уж мы не забудем об их личном вкладе в строительство мельницы.

И снова животные ощутили смутное беспокойство. Не иметь никаких дел с человеком, не заниматься торговлей, не прикасаться к деньгам — разве все эти решения не принимались на историческом собрании сразу после изгнания Джонса? Они были еще живы в их памяти... во всяком случае, полуживы. Четыре поросенка, те, которые уже осмелились однажды протестовать, что-то там робко вякнули, но устрашающий рык псов из охраны заставил их умолкнуть. Тут очень кстати вступили овцы со своим «Четыре ноги хорошо, две ноги плохо», и секундная неловкость была замята. Наполеон поднял копытце и, когда установилась тишина, сказал, что все необходимые шаги уже, собственно, предприняты. Животные будут ограждены от контактов с людьми, на этот счет они могут быть спокойны. Всю черновую работу Наполеон берет на себя. Некто мистер Уимпер, поверенный, согласился выступить посредником между «Скотным двором» и остальным миром. По понедельникам он будет получать на ферме все инструкции. Свою речь Наполеон закончил обычным призывом «Да здравствует „Скотный двор"!», потом спели «Скот домашний, скот бесправный» и разошлись.

Днем Деловой постарался рассеять все сомнения. Он заверил каждого, что решения о том, чтобы не заниматься торговлей и не прикасаться к деньгам, не только не принимались, но даже не обсуждались. Эти глупейшие фантазии мог породить разве что Цицерон с его склонностью к опасным утопиям. Не всех слова Делового убеждали, и тогда он прикидывался эдаким простачком: «А может, вам все приснилось? Какие решения? Они где-нибудь записаны?» И поскольку, действительно, нигде и ничего запи-

Джордж Оруэлл

сано не было, оставалось только признать, что произошло недоразумение.

Отныне по понедельникам, как было объявлено, на ферме появлялся мистер Уимпер. Этот низкорослый мужчина с плутоватым лицом и внушительными баками вел более чем скромные дела, однако он раньше других сообразил, что без маклера «Скотному двору» не обойтись и это дело сулит неплохие комиссионные. Присутствие Уимпера на ферме оскорбляло животное достоинство, поэтому все старательно его избегали. Хотя было на что посмотреть, когда Наполеон, стоя на четвереньках, отдавал приказания стоящему во весь человеческий рост Уимперу; это зрелище вызывало у животных чувство гордости и отчасти примиряло их с создавшейся ситуацией.

Шло время, и отношения «Скотного двора» с враждебным человеческим окружением постепенно менялись. Не то чтобы люди стали меньше ненавидеть ферму, сумевшую добиться определенных успехов; скорее наоборот, они ненавидели ее пуще прежнего. Все наперебой доказывали друг другу, что рано или поздно ферма обанкротится, а затея с ветряной мельницей лопнет, как мыльный пузырь. В питейных заведениях прямо на столиках раскладывались диаграммы, из которых явствовало, что мельница просто обязана рухнуть, а если она все же устоит, то уж махать крыльями наверняка не будет. Но вот парадокс: при всей своей неприязни люди не могли не воздать должное тому, как умело четвероногие ведут хозяйство. Это проявилось прежде всего в том, что они перестали делать вид, будто ферма все еще называется «Райский уголок». Они также перестали нянчиться с Джонсом, и тот, потеряв всякую надежду вернуть собственность, уехал из этих мест. Пока все контакты «Скотного двора» с внешним миром ограничивались Уимпером, однако ходили упорные слухи, что Наполеон собирается заключить торговую сделку не то с Пилкингтоном из «Фоксвуда», не то с Фредериком из «Пинчфилда»... во всяком случае, не с обоими сразу.

Как-то под шумок свиньи забрались в дом, да так там и остались. Снова животным показалось, что когда-то они принимали решение, запрещающее им жить в доме, и снова Деловой легко их опроверг. Разве постоянная работа мысли, на которую обрекли себя свиньи, не предполагала с самого начала некоего уединения? И разве пристало вождю (так в последнее время он называл Наполеона) жить в хлеву? Так-то оно так, а все же многих смущало, что свиньи теперь не только едят на кухне и отдыхают в гостиной, но и спят в постели.

Работяга разрешил все сомнения коронной фразой «Наполеон всегда прав», зато Хрумка, у которой не было пока оснований жаловаться на плохую память, нарочно пошла к большому сараю прочесть соответствующую заповедь.

Джордж Оруэлл

Увы, это оказалось ей не под силу, пришлось звать на помощь Мюриэл.

— Прочти-ка мне четвёртую заповедь, — попросила она. — Там что-то говорится про постель.

Мюриэл долго шевелила молча губами и наконец разродилась:

— «Не спи в постели на простынях».

Странно, подумала Хрумка, о простынях вроде ничего не говорилось... но раз написано, значит, так и было. Тут очень кстати оказался рядом Деловой в сопровождении псов-охранников и сразу поставил все точки над i.

— Кажется, вы удивлены тем, что мы, свиньи спим в постели? — спокойно поинтересовался Деловой. — А почему бы и нет? Или существуют какие-то противопоказания? Постель, по определению, есть ложе для сна.

Соломенная подстилка в стойле — это, строго говоря, та же постель. Против чего мы всегда возражали, так это против простыней, являющихся изобретением человека. Мы же простыни сняли и спим под одеялами. Очень, скажу я вам, удобно. Учтите, это минимальные удобства, без которых мы просто не смогли бы мыслить в полную силу. Или мы, товарищи, не заслужили отдыха? Или вы хотите, чтобы мы выбились из сил и снова наступили времена Джонса?

Ответ был известен заранее, и, таким образом, тема себя исчерпала.

Никто не возмущался и спустя несколько дней, узнав, что отныне свиньи будут вставать утром на час позже.

Осень животные встретили усталые, но довольные. Позади был тяжелый год, впереди (после продажи части сена и зерна) предвиделись затруднения с продовольствием, однако мельница искупала все. Или, вернее сказать, полмельницы. После уборочной стояла сухая солнечная погода, и животные с удвоенным рвением таскали известняк, радуясь тому, что их детище подрастет еще на вершок. Работяга вставал по ночам — поработать часок-другой при свете луны. Когда выдавалась свободная минута, животные топтались перед ветряком, восхищаясь толщиной и идеальной отвесностью стен, даже не верилось, что они сами сотворили это чудо. Один только старый Бенджамин не разделял всеобщего энтузиазма, предпочитая отделываться загадочной фразой про ослов, которые живут долго.

В ноябре с юго-запада задули страшные ветры. Из-за сильной влажности не схватывался цемент, работы пришлось приостановить. Однажды ночью ураган был такой силы, что постройки ходили ходуном и с крыш срывало черепицы.

Раскудахтались со сна куры — им коллективно приснилось, будто где-то бабахнули из ружья. Утром все вышли на двор и увидели такую картину: флагшток переломился, как спичка, один из вязов оказался вырван с корнем. А в следующую секунду животный крик потряс ферму. Зрелище было не для слабонервных: мельница лежала в руинах.

Не сговариваясь, животные помчались к холму. Наполеон, который обычно нес себя с поистине царским достоинством, припустил быстрее всех. Вот оно, их творение, разрушенное до основания, камня на камне не осталось!

Онемевшие, они скорбно разглядывали хаотичные нагромождения камней, с таким трудом добытых и сюда доставленных. Наполеон молча расхаживал среди руин, время от времени принюхиваясь к чему-то под ногами. Его хвостик словно одеревенел и ходил как маятник, что свидетельствовало о напряженной работе мысли. Вдруг он остановился, явно приняв какое-то решение.

— Товарищи, — негромко произнес он, — знаете ли вы, кто в этом повинен? Знаете ли вы, кто сровнял с землей нашу мельницу? ЦИЦЕРОН! — неожиданно загремел он. — Это его грязных лап дело! Желая отомстить за свой позор и отбросить нас назад в строительстве новой жизни, этот предатель, этот злодей из злодеев пробрался на ферму под покровом ночи и за несколько часов уничтожил то, что мы создавали в течение года. Так вот, я заочно приговариваю Цицерона к смертной казни. «Животная доблесть» 2-й степени и полмешка яблок тому, кто выдаст его правосудию! Мешок яблок тому, кто доставит его живым!

Скотный Двор

Все стояли потрясенные: даже от Цицерона трудно было ожидать подобного святотатства. По рядам пронеслись негодующие возгласы, в головах уже зрели планы поимки изверга звериного рода. Почти сразу неподалеку от холма обнаружились характерные следы раздвоенных копыт — они вели к живой изгороди. Наполеон тщательно обнюхал их своим пятачком... последние сомнения отпали. Можно было предположить, что Цицерон нашел убежище в «Фоксвуде».

— Ни секунды промедления, товарищи! — воззвал к животным Наполеон, потеряв вдруг всякий интерес к цепочке следов. — Не до отдыха. Прямо сейчас мы начинаем отстраивать мельницу и будем работать всю зиму, при любой погоде. Мы покажем этой грязной свинье, что нас голыми руками не возьмешь.

Помните: ничто не может сорвать наши планы, все намеченное будет выполнено!

Вперед, товарищи! Даешь ветряную мельницу! Да здравствует «Скотный двор»!

Глава седьмая

Зима выдалась суровая. За ураганными ветрами последовала оттепель со снегом, а затем ударили заморозки, которые держались до середины февраля.

Животные отдавали последние силы для восстановления мельницы, прекрасно понимая, что

Джордж Оруэлл

на них устремлены сотни глаз и что каждая их неудача встречается бурным ликованием в стане врага.

Это ж какими надо быть злопыхателями, чтобы очевидной версии, будто мельницу разрушил Цицерон, предпочесть надуманное: мол-де, она сама рухнула из-за слишком тонких стен. Разумеется, животные не принимали эти разговоры всерьез. Другое дело, что стены теперь решено было возводить вдвое толще, а значит, требовалось еще столько же известняка. Довольно долго карьер лежал под снегом, и ни о каких работах не могло быть и речи. Потом снег растаял, подморозило, и вроде что-то сдвинулось с мертвой точки, но каждый шаг давался с таким скрипом, что вера в успех угасала на глазах. Мучил холод, а часто и голод. Лишь Работяга и Хрумка не теряли оптимизма. Деловой произносил блестящие речи о том, какая это радость — работать для общего *блага* и что труд облагораживает животных, но больше речей, признаться, вдохновлял живой пример двужильного битюга с его неизменным девизом «Работать еще лучше!».

В январе началась нехватка продовольствия. Рацион зерна заметно урезали, пообещав компенсировать картофелем. Но, как вскоре выяснилось, почти весь картофель померз из-за плохого хранения и стал малосъедобным.

Животные пробавлялись мякиной и кормовой свеклой. К горлу уже подбиралась костлявая рука голода.

Скотный Двор

Надо было принимать экстренные меры, то есть прежде всего позаботиться о том, чтобы скрыть положение вещей от внешнего мира. Воспрянув после истории с мельницей, люди опять распускали о «Скотном дворе» небылицы, одну другой нелепее: от моровой язвы и массового голода до взаимного истребления и пожирания собственных детей. Сознавая, сколь неблагоприятными могут быть последствия, если сложившаяся на ферме ситуация предстанет в черном цвете, Наполеон решил использовать мистера Уимпера и с его помощью создать у человечества обратное впечатление. Если раньше с ним имел дело один Наполеон, то сейчас он специально отобрал животных, в основном овец, и отработал с ними реплики «про новую, сытую жизнь», которыми они должны были непринужденно обмениваться при появлении Уимпера. А еще Наполеон велел наполнить пустые закрома почти доверху песком, сверху же присыпать зерном. При случае он провел Уимпера через амбар, так чтобы взгляд его невольно упал на бункеры с пшеницей. Уловка вполне удалась, и мир узнал, как сытно живется на «Скотном дворе».

Однако к концу января стало очевидно, что без зерна со стороны не обойтись. В эту трудную пору Наполеон почти не показывался перед массами; он жил затворником, дом тщательно охранялся. Редкие выходы обставлялись довольно внушительно: он шел в сопровождении почетно-

Джордж Оруэлл

го эскорта из шести псов, которые грозным рычанием предупреждали всякого, кто оказывался слишком близко. Даже воскресные инструктажи он все чаще поручал провести кому-то из своего окружения, преимущественно Деловому.

На очередном инструктаже Деловой объявил, что все снесенные яйца будут временно реквизироваться. Наполеон заключил через Уимпера контракт о продаже четырех сотен яиц в неделю. Вырученные деньги позволят закупить зерно и другое продовольствие и таким образом продержаться до лета, когда станет полегче.

С курами случилась истерика. Что от них, возможно, потребуют жертв, такие разговоры были, но всем почему-то казалось, что они так и останутся разговорами. Куры активно неслись, и забирать у них яйца, с их, куриной, точки зрения, было бы равносильно детоубийству. Назревала новая революционная ситуация. Подстрекаемые тремя черненькими минорками, несчастные матери выразили свой протест в крайней форме: они стали нестись под крышей сарая, на стропилах (не с этих ли пор их называют *несущими* балками?), откуда яйца падали вниз и разбивались вдребезги. Наполеон отреагировал незамедлительно и безжалостно. Пулярок сняли с довольствия.

Всякого, кто бросит им хотя бы зернышко, ждала смертная казнь. За точным исполнением приказа следили псы-охранники. Курочки продержались пять дней, после чего капитулировали и вернулись на свои насесты. Девять из них умерли от истощения и были похоронены в саду. По официальной версии причиной смерти явился коксидиоз. Ничего этого Уимпер не знал, и раз в неделю бакалейщик, подъезжавший на фургоне к воротам фермы, исправно забирал очередную партию яиц.

Все это время о Цицероне не было ни слуху ни духу. Молва, однако, гласила, что он прячется не то в «Фоксвуде», не то в «Пинчфилде». Отношения с соседями у Наполеона несколько наладились. Тут надо сказать, что во дворе был сложен хороший выдержанный лес — лет десять назад срубили буковую рощицу. Уимпер настоятельно советовал Наполеону продать лес, тем более что и мистер Пилкингтон и мистер Фредерик выказывали свою заинтересованность. Наполеон никак не мог сделать между ними выбор. Начала проглядывать любопытная закономерность: стоило ему пойти на сближение с Фредериком, как становилось доподлинно известно, что Цицерона укрывает Пилкингтон, а когда он уже был готов договориться с Пилкингтоном, все с горечью узнавали, что, оказывается, Цицерона с самого начала взял под свою защиту Фредерик.

Однажды — стояла ранняя весна — всех взбудоражило страшное открытие: по ночам Цицерон хозяйничает на их ферме! Это было таким потрясением, что у животных сделалась бессон-

Джордж Оруэлл

ница. Подумать только, каждую ночь, пользуясь темнотой, этот тать занимается вредительством у них под носом! Ворует зерно, переворачивает ведра с молоком, бьет яйца, топчет первые всходы, обдирает клыками кору с фруктовых деревьев. Что бы ни стряслось, виновник теперь был известен. Окно ли окажется разбитым, водосток ли засорится — все он, Цицерон; пропал ключ от амбара — ясно, кто бросил его в колодец. И вот что примечательно: животные свято верили в Цицероновы козни даже после того, как ключ обнаруживался, к примеру, под мешком с пшеницей. Вдруг коровы в один голос заявили, что, пока они спят, Цицерон выдаивает их до последней капли.

О крысах, доставлявших этой зимой много хлопот, стали говорить, что они находятся в сговоре с Цицероном.

Наполеон назначил обстоятельное расследование преступной деятельности этого, можно сказать, недосвина. Окруженный телохранителями, он лично обнюхал всю ферму, метр за метром, остальные держались на почтительном расстоянии. Наполеон, обладавший особым нюхом на врага, ткнул свой пятачок во все углы, прочесал вдоль и поперек сарай, коровник, огород, курятник — и едва ли не везде уловил предательский дух. Происходило это так: он припадал к земле, делал несколько глубоких вдохов и страшным голосом изрекал:

«Цицерон! Его запах!» При слове «Цицерон» у псов шерсть вставала дыбом, а рычали они так, что кровь стыла в жилах.

Животных обуял ужас. Казалось, кабан-невидимка находится сразу в нескольких местах и всюду сеет смуту разрушения. Вечером их собрал Деловой.

Вид у него был весьма озабоченный, разговор предстоял серьезный.

— Товарищи! — выкрикнул Деловой, как-то нервно пританцовывая. — У меня нет слов. Цицерон продался Фредерику, который готовится напасть на нас и забрать себе нашу ферму! Цицерон у него в наводчиках. Но это еще не все, товарищи. Мы думали, козни Цицерона объясняются его тщеславием и жаждой власти. Если бы! Хотите знать истинную причину? Цицерон прислуживал самому Джонсу! Он был его тайным агентом! Об этом говорят оставшиеся после него документы, которые мы только что обнаружили. Это, скажу я вам, на многое проливает свет. Разве мы не видели своими глазами, как он пытался — к счастью, безуспешно — привести нас к сокрушительному поражению в Битве при Коровнике?

Животные онемели. Даже разрушение мельницы померкло перед таким кощунством. Они долго молча переваривали услышанное, и все равно какие-то вещи не укладывались в голове. Трудно было посмотреть на прошлое глазами Делового, когда они своими глазами видели, как

Цицерон возглавил Битву при Коровнике, как он личным примером воодушевлял их в критические минуты и ничто, даже дробь, оцарапавшая его спину, не смогло остановить его наступательный порыв. И при этом он отстаивал интересы Джонса? Даже Работяга, приучивший себя не задавать лишних вопросов, всем своим видом выражал недоумение. Он даже лег на землю, подобрав передние копыта, закрыл глаза и после мучительного раздумья сказал так:

— Я не верю. Цицерон сражался храбро в Битве при Коровнике. Я сам видел. И разве мы не дали ему «Животную доблесть» 1-й степени?

— Это была наша ошибка. Теперь, когда мы располагаем секретными документами, можно смело утверждать, что он рыл нам яму.

— А как же ранение? — упрямо гнул свое Работяга. — Мы все видели, как он истекал кровью.

— В этом-то и состояла главная хитрость! — словно обрадовался Деловой. — Джонс нарочно выстрелил так, чтобы слегка его зацепить. Кстати, Цицерон об этом сам пишет, и ты, товарищ, мог бы прочесть, как обстояло дело, если бы умел читать. В критический момент он должен был скомандовать отступление, и поле боя осталось бы за неприятелем. И ведь он почти до конца осуществил свой зловещий план... я вам больше скажу: он бы осуществил его до конца, если бы не героизм, проявленный нашим вождем товарищем Наполеоном.

Скотный Двор

Вспомните, как Цицерон, а за ним и все остальные обратились в бегство, едва во двор вступил отряд Джонса. И в этот миг, когда в наших рядах началась паника, когда казалось, что все кончено, в этот миг, вспомните, товарищ Наполеон вырвался вперед и с криком «Смерть двуногим!» вонзил клыки в ляжку Джонса. Разве такое можно забыть? — Деловой пришел в необычайное возбуждение от нахлынувших воспоминаний.

Он обрисовал эту батальную сцену так зримо, что трудно было усомниться в ее правдивости. Тем более все помнили, что действительно был момент, когда Цицерон обратился в бегство. И все же у Работяги оставались некоторые сомнения.

— Я не верю, что Цицерон с самого начала был предателем, — сказал он после небольшого раздумья. — Потом — это я понимаю, но в Битве при Коровнике он себя показал хорошо.

— Наш вождь, — Деловой заговорил жестко, выделяя каждое слово, — наш вождь выразился однозначно... однозначно, я подчеркиваю... что Цицерон с самого начала был тайным агентом Джонса — задолго до Восстания.

— Так бы сразу и сказал, — успокоился Работяга. — Раз товарищ Наполеон выразился, значит, все правильно.

— Вот слова истинного патриота! — радостно взвизгнул Деловой, однако нельзя было не заметить, что его блестящие глазки-пуговки словно пробуравили Работягу. Он уже собирался уйти,

Джордж Оруэлл

но помедлил и со значением произнес: — Я хочу предупредить, чтобы каждый глядел в оба. У нас есть все основания предполагать, что среди нас разгуливают агенты Цицерона!

Спустя четыре дня, ближе к вечеру, последовал приказ всем собраться во дворе. Когда приказ был выполнен, из дома вышел Наполеон при двух регалиях (недавно он вручил себе «Животную доблесть» обеих степеней) и девяти устрашающего вида телохранителях, окружавших его плотным кольцом.

Собравшиеся притихли и как-то даже поджались, словно предчувствуя нечто ужасное.

Наполеон с пугающей пристальностью обвел взглядом публику и вдруг пронзительно вскрикнул. В ту же секунду псы рванулись к первым рядам, где сидели поросята-«бунтовщики», вцепились мертвой хваткой каждому в ухо, и все четверо, визжащие от боли и страха, были брошены к ногам Наполеона.

Почувствовав кровь, псы совсем обезумели. Трое из них неожиданно кинулись к Работяге; битюг своевременно поднял тяжелое копыто, и один пес рухнул как куль. Прижатый копытом к земле, он взвыл о помощи, двое других отбежали с поджатыми хвостами. Работяга повернулся к Наполеону, как бы спрашивая, можно ли раздавить наглеца или следует даровать ему жизнь. Наполеон нахмурился и резким тоном велел оставить пса в покое, после чего тот был отпущен и, подвывая, затрусил прочь.

Но вот страсти улеглись. Пострадавшие поросята дрожали в ожидании своей участи, и каждый — от прокушенного уха до жалкого хвостика — был исполнен сознания собственной вины. Это была та самая четверка, что выступила против отмены общих собраний. Наполеон призвал их рассказать о своей преступной деятельности. Проявив завидную готовность, все четверо сразу выложили, что с момента изгнания Цицерона они постоянно держали с ним связь, что они помогли ему взорвать мельницу и уже продумали совместный план передачи фермы в руки Фредерика. А еще они рассказали, как однажды Цицерон признался им под большим секретом, что многие годы работает на Джонса. Когда они окончательно саморазоблачились, «слово» взяли псы-охранники, разорвав их в клочья.

Громовым голосом Наполеон спросил, не хочет ли еще кто-нибудь облегчить душу. Вперед выступили три минорки, зачинщицы неудавшегося бунта в курятнике, и признались в том, что Цицерон явился им во сне и подговорил их саботировать распоряжения Наполеона. Минорок постигла та же участь. Затем гусыня созналась в том, что припрятала шесть колосков во время уборочной страды в прошлом году, а ночью съела их тайком. Затем овца созналась в том, что помочилась там, куда все ходят на водопой, причем сделала это по наущению все того же Цицерона. Еще две овцы взяли на себя ответственность за смерть старого барана, ярого последователя Наполеона; вдвоем они загнали беднягу, прекрасно зная, что у него астма. Все покаявшиеся были разорваны на месте. Между тем следовали новые саморазоблачения и новые казни, так что перед Наполеоном вскоре выросла гора трупов, и воздух загустел от запаха крови, который животные успели забыть после изгнания Джонса.

Когда все было кончено, поредевшие ряды сомкнулись, и притихшая масса двинула со двора. Животные были ошеломлены и подавлены. Они сами не знали, что их потрясло больше — измена сородичей, стакнувшихся с Цицероном, или жестокое возмездие, свершившееся на их глазах. При старом режиме подобные кровавые сцены были, разумеется, не редкость, но э т а казалась им особенно страшной — они ведь разыграли ее сами. С тех пор как они избавились от Джонса, не было случая, чтобы одно животное убило другое. Даже крысу. И вот все поднялись на холм с наполовину отстроенной мельницей и вдруг, словно подчиняясь единому порыву, залегли в траве, тесно прижавшись друг к другу, — Хрумка, Мюриэл, Бенджамин, коровы, овцы, даже куры и утки — все, кроме кошки, которая загадочным образом исчезла за минуту до того, как Наполеон приказал всем собраться. Долго молчали. Работяга — он один, кстати, не лег — переминался с ноги на ногу, обмахивал бока своим длинным черным хвостом и непроизвольно пофыркивал от недоумения. Наконец не выдержал:

— Не понимаю. Как такое у нас могло произойти? Подраспустились мы, вот что. Главное сейчас — работать еще лучше. С завтрашнего дня я встаю на час раньше.

И он тяжело затрусил в направлении карьера. Там он погрузил на тележку куски известняка, вдвое против обычного, и, пока не дотащил этот груз до мельницы, спать не ушел.

Хрумка лежала в середке, стиснутая безмолвной массой. С холма открывался прекрасный вид. Вся ферма лежала как на ладони — пастбище, тянущееся до самого большака, сочный луг, рощица, водопой, поля, где зеленела молодая пшеница, красные крыши хозяйственных построек, над которыми курился дымок. Погожий весенний день клонился к закату. Прощальные лучи солнца золотили траву и начинающие оживать зеленые изгороди. Никогда еще ферма не казалась столь желанной... хотя разве она им не принадлежала вся до последнего кустика? От этой красоты у Хрумки навернулись слезы на глаза.

Если бы она могла облечь в слова свои мысли, она бы сказала: нет, не к террору и кровавой резне устремлялись их помыслы в ту незабываемую ночь, когда речь старого Майора зажгла в их сердцах пламя Восстания. Не об этом они мечтали, вступая на путь борьбы с тиранией человека. И если бы ее сейчас спросили, как она себе представляла будущее, ответ был бы, наверно, таким: общество, где животным неведом

Джордж Оруэлл

голод и удары кнута, где все равны и каждый трудится в меру отпущенных ему сил, где сильные оберегают слабых, как это некогда сделала она, огородив передней ногой заблудших утят. Но почему-то пришли совсем другие времена — когда все боятся говорить, что думают, когда каждый их шаг контролируют свирепые псы, когда на твоих глазах они рвут на части твоих товарищей, сознавшихся в каких-то невероятных преступлениях. При этом мысли о бунте или хотя бы о протесте не было у Хрумки. Она не сомневалась в том, что их нынешняя жизнь, при всех ее минусах, не шла ни в какое сравнение с временами Джонса и что не было задачи важнее, чем воспрепятствовать возвращению человека. Что бы ни случилось, она сохранит верность идеалам и самому товарищу Наполеону, будет работать не жалея сил и выполнять приказы. И тем не менее не об этом они мечтали, не во имя этого трудились. Нет, не во имя этого они строили Мельницу и выходили под пули Джонса. Вот о чем думала Хрумка, не умея облечь свои мысли в слова.

И тогда она запела «Скот домашний, скот бесправный», чтобы хоть так излить свою душу. Лежавшие рядом животные подхватили песню и спели ее подряд три раза, как никогда еще не пели, — медленно и печально.

Только они закончили, как в сопровождении охраны подошел Деловой. Мысль государственной важности отражалась на его челе. Специальным декретом Наполеона, сказал он, песня «Скот домашний, скот бесправный» отменяется, всякий, кто будет ее исполнять, ответит перед законом.

Сообщение вызвало ропот недовольства.

— Почему отменяется? — вскричала Мюриэл.

— Нецелесообразно, — сухо ответил Деловой. — Песня звучала актуально, пока цели, провозглашенные Восстанием, не были достигнуты. Сегодня, товарищи, мы уничтожили предателей и тем самым поставили точку. Все враги, как внешние, так и внутренние, ликвидированы. Песня выражала нашу вековечную мечту о построении светлого будущего. Светлое будущее построено, — следовательно, песня изжила себя.

Как ни напуганы были животные, кое-кто уже готов был возмутиться, но тут овцы грянули свое коронное «Четыре ноги хорошо, две ноги плохо» и не умолкали до тех пор, пока из протестующих не вышел весь запал.

Так с песней было покончено. Правда, вместо нее Шибздик сочинил новую, начинавшуюся так:

Свой уголок убрали мы цветами
И лакомимся все созревшими плодами.

Каждое воскресенье после подъема флага животные теперь исполняли сочинение Шибздика, но ни слова, ни музыка, по большому счету, не могли никого удовлетворить.

Джордж Оруэлл

Глава восьмая

Несколько дней животные не могли прийти в себя после кровавой бойни, а когда немного успокоились, в памяти вдруг возникла, во всяком случае забрезжила, шестая заповедь: «Не убивай себе подобного». Напомнить о ней в присутствии свиньи или псов-охранников никто бы не рискнул, но все же трудно было отделаться от мысли, что состоявшаяся экзекуция не очень-то согласуется с тем, что когда-то было декларировано. Хрумка попросила Бенджамина прочесть ей вслух шестую заповедь, но осел в «эти дела» принципиально не вмешивался, пришлось обратиться к Мюриэл. Козочка прочла: «Не убивай себе подобного без повода». Странно, последние два слова как-то не отложились ни у кого в памяти. Но, главное, заповедь не была нарушена: тайные сообщники Цицерона дали серьезный повод к расправе.

Если животным и раньше было не до отдыха, то теперь стало и вовсе не продохнуть. Чего стоила одна мельница с крепостными стенами, которую следовало построить в жесткие сроки, а ведь еще была повседневная работа на ферме. Порой у животных возникало такое ощущение, что, по сравнению с временами Джонса, работы прибавилось, а еды убавилось. По воскресеньям Деловой раскладывал перед собой этакую простыню и, прижав ее копытцем, сыпал цифрами, которые неопровержимо доказывали, что производство тех или иных продуктов возросло, соответственно, на двести, триста или пятьсот процентов.

У животных не было оснований ему не верить, тем более что подробности жизни при старом режиме уже несколько подзабылись. Но, вообще говоря, никто бы не отказался, если бы цифр было чуть меньше, а еды чуть больше.

Все приказы исходили от Делового или какой-нибудь другой высокопоставленной свиньи. Наполеон показывался на публике не чаще, чем раз в две недели. В его свиту теперь входили не только телохранители, но также и черный петел, вышагивавший впереди и громким кукареканием возвещавший о намерении патрона обратиться с речью к массам. Рассказывали, что живет Наполеон особняком от всех и что еду ему подают самые доверенные псы, причем исключительно на столовом сервизе «Королевские скачки». Из специального сообщения все узнали, что ружье отныне будет стрелять также в день рождения Наполеона.

Впрочем, так его теперь никто не называл. Официально говорили «наш вождь товарищ Наполеон», но неистощимые на выдумки свиньи изобретали все новые и новые титулы: Отец всех животных, Гроза человечества, Кабаньеро, Защитник овец, Друг утят и проч. и проч. У Делового ручьями текли слезы, когда он рассказывал о мудрости Наполеона, о его добром сердце и безграничной любви ко всем животным, особенно к тем несчастным, что живут на других

Джордж Оруэлл

фермах в рабстве и во мраке невежества. Как-то само собой вошло в привычку приписывать Наполеону любое свершение и вообще любую радость. Можно было услышать, как одна курица говорит другой: «Под руководством любимого вождя я снесла пять яиц за шесть дней», или как две коровы восклицают на водопое: «Спасибо товарищу Наполеону за нашу чистую воду!» Общие чувства хорошо выразил Шибздик, сочинивший следующий гимн:

> Наш вождь и учитель,
> Детей попечитель,
> Надежный хранитель лесов и полей!
> Зимою и летом
> Тобою согреты,
> Ты стал нашим светом,
> Свинья из свиней!
>
> Довольно в кормушке
> Овса и болтушки,
> Коню и несушке живется сытней.
>
> Пусть знают соседи,
> От скотниц до леди:
> Ведет нас к победе
> Свинья из свиней!
>
> Любой поросенок.
> Пусть мало силенок.
> Стремится с пеленок кричать посильней:
> «За свинскую эру!
> За новую веру!
> Ура Кабаньеро,
> Свинье из свиней!»

Скотный Двор

Наполеону сочинение понравилось, и он велел написать текст на стене большого сарая, противоположной той, где были начертаны семь заповедей. Над гимном Деловой запечатлел в профиль Отца всех животных.

Между тем Наполеон через Уимпера вел сложные переговоры с соседями-фермерами, а лес лежал непроданный. Фредерик проявлял большую заинтересованность, но не давал настоящую цену. Кроме того, опять поползли слухи, что Фредерик хочет прибрать к рукам «Скотный двор» и разрушить ненавистную ему мельницу. То-то он продолжал укрывать у себя Цицерона. В середине лета тревожное известие всколыхнуло ферму: три несушки заявили о том, что по наущению Цицерона они собирались отравить Лучшего друга птиц.

Несушек казнили на месте, а что касается Лучшего друга птиц, то были предприняты дополнительные меры по его охране. Ночной покой Наполеона оберегали четыре пса, располагавшиеся так, чтобы ни с одной стороны невозможно было приблизиться к кровати, а молоденькая хрюшка по кличке Розанчик снимала пробу с приготовленных для него кушаний, поскольку в каждом мог быть яд.

Однажды животным объявили, что Наполеон продает лес мистеру Пилкингтону; он намерен также осуществлять на долгосрочной основе обмен натуральными продуктами между «Скотным двором» и «Фоксвудом». За последнее время отношения у Наполеона с Пилкингтоном, хотя и через посредника, стали почти дружескими. Для животных Пилкиштон был прежде всего человек и уже потому не заслуживал доверия, но уж лучше, считали они, иметь дело с ним, чем с Фредериком, вызывавшим у них смешанное чувство страха и ненависти. По мере того как строительство ветряной мельницы близилось к завершению, слухи о готовящемся предательском ударе становились все более тревожными. Как будто Фредерик уже поставил под ружье двадцать человек, а также подкупил магистрат и полицию, с тем чтобы власти не задавали лишних вопросов, когда он заявит свои права на «Скотный двор». Страшные просачивались из «Пинчфилда» истории о том, как Фредерик истязает домашний скот. Он насмерть засек кнутом старую конягу, морил голодом коров, он заживо сжег в печи собаку, а по вечерам забавлялся петушиными боями, предварительно привязав к шпорам сражающихся обломки бритвенных лезвий. У обитателей «Скотного двора» кровь вскипала в жилах, когда они слышали, как обращаются с их товарищами, у них давно чесались ноги напасть всем стадом на «Пинчфилд» и освободить своих собратьев, но Деловой предостерегал их от насильственных действий, призывая всецело положиться на мудрого стратега товарища Наполеона.

Словом, все имели зуб на Фредерика — даже те, кто зубов не имел. В одно из воскресений Наполеон пожаловал в большой сарай. Фредерику, сказал он, не видать нашего леса, как своих ушей; мы не опустимся, сказал он, до разговора с таким отребьем! Голубям, этим разносчикам правды о Восстании, было строго-настрого приказано облетать стороной «Пинчфилд», а прежний призыв «Смерть человеку!» изменить на «Смерть Фредерику!».

Ближе к осени обнаружилось новое подтверждение гнусным проискам Цицерона. Пшеничное поле заросло сорняками, чему сразу отыскалась причина: весной во время одного из своих ночных визитов Цицерон смешал посевной материал с семенами растений-вредителей. Гусак, помогавший Цицерону в его гнусной диверсии, сам сознался в этом Деловому, после чего покончил жизнь самоубийством, проглотив ягоды паслена. Цицерон, как неожиданно для себя узнали животные, оказывается, никогда не получал медали «Животная доблесть» 1-й степени. Это была красивая легенда, которую он сам распространил после Битвы при Коровнике. В действительности же его не только не представляли к награде, но, наоборот, вынесли ему порицание за проявленную в бою трусость.

И вновь животные были озадачены столь крутым поворотом, и вновь Деловой сумел им доказать, что их подвела память.

В начале осени ценой колоссальных, неимоверных усилий — ибо одновременно требовалось убрать урожай — мельница была построена. Еще предстояло завезти оборудование, о чем сейчас хлопотал Уимпер, но ветряк — вот он! — стоял готовенький. Невзирая на тысячи осложнений, на отсутствие опыта и примитивные орудия труда, на невезение, на вредительство Цицерона, работа была закончена в срок, день в день! Усталые, но довольные животные долго ходили вокруг ветряного чуда, казавшегося им еще прекраснее, чем предыдущее. Одни только стены чего стоили. Теперь их возьмешь разве что динамитом! Сколько же труда было положено, сколько препятствий преодолено, зато теперь будет не жизнь, а малина: мельничные крылья сами вертятся, динамо-машина сама крутится... от этих мыслей усталость как хвостом снимало, животные резвились словно дети, визжа от радости. Сам Наполеон в окружении свиты посетил готовый объект и поздравил всех со знаменательным событием присвоением мельнице его, Наполеона, имени.

Спустя два дня животных в экстренном порядке собрали в сарае. Как гром среди ясного неба прозвучало сообщение, что лес продан Фредерику. Завтра он начнет его вывозить. Оказывается, все это время, пока развивалась и крепла дружба с Пилкингтоном, Наполеон по тайным каналам вел интенсивные переговоры с Фредериком.

В тот же день отношения с «Фоксвудом» были разорваны и в адрес Пилкингтона направлена нота оскорбительного содержания. Голуби получили строжайший наказ облетать стороной «Фоксвуд», а призыв «Смерть Фредерику!» изменить на «Смерть Пилкингтону!». Наполеон заверил животных, что готовящееся якобы нападение на «Скотный двор» не более чем досужий вымысел, а все эти россказни о небывалой жестокости Фредерика ломаного гроша не стоят. Скорее всего, подобные слухи распускали Цицерон и его агенты.

Кстати, Цицерон сейчас не прячется в «Пинчфилде» и, если уж на то пошло, никогда там не прятался, на самом деле все эти годы живет-поживает в «Фоксвуде» в роскошных условиях, на всем готовеньком.

Изощренное хитроумие Наполеона привело даже пожилых свиней в поросячий восторг. Всячески демонстрируя свое благорасположение к Пилкингтону, он вынудил Фредерика поднять цену за лес на двенадцать фунтов. Но это еще что!

Главная хитрость, пояснил Деловой, состоит в том, что Наполеон не доверяет до конца никому, даже Фредерику. Тот хотел было заплатить за лес так называемым чеком, который, насколько можно судить, есть не что иное, как бумажка с обещанием выдать определенную сумму. Но товарищу Наполеону палец в рот не клади! Он потребовал живые деньги пятифунтовыми банкнотами, причем вперед, до того как будет вывезен лес. Так вот, деньги уже уплачены, и этой суммы хватит на то, чтобы приобрести необходимое оборудование для мельницы.

Джордж Оруэлл

Лес был вывезен с быстротой, достойной удивления. И вот животных снова пригласили в сарай — взглянуть на живые деньги. На возвышении, утопая в соломе, возлежал сияющий Наполеон (сиял он сам, сияли начищенные медали), а рядом, на блюде китайского фарфора, аккуратной стопкой возлежали дензнаки.

Животные медленно проходили мимо денег, и каждое успевало в полной мере насладиться редким зрелищем. Работяга даже обнюхал банкноты, и они — беленькие, невесомые всколыхнулись, зашуршали.

А три дня спустя разразилась буря. Бледный как полотно Уимпер подлетел к дому на своем велосипеде, не глядя бросил его на землю и быстро скрылся за дверью. Через минуту из апартаментов Наполеона донесся поистине звериный рев. Ошеломляющее известие, словно пожар, мгновенно распространилось по всей ферме. Банкноты были — поддельные! Лес достался Фредерику даром!

Наполеон протрубил общий сбор и громовым голосом зачитал Фредерику смертный приговор. Животные сварят его живьем разумеется, когда схватят.

После такого вероломства, предупредил Наполеон, следует ждать самого худшего. В любую минуту Фредерик и его люди могут осуществить давно вынашиваемый план напасть на «Скотный двор». На этот случай у каждого входа и выхода были выставлены часовые. Четверку голубей срочно послали в «Фоксвуд» с мирным посланием в надежде восстановить с Пилкингтоном добрососедские отношения.

Наутро ферма подверглась нападению. Все завтракали, когда примчались дозорные с криками, что Фредерик и его команда вломились в главные ворота.

Животные смело атаковали противника, но до успеха, сопутствовавшего им в Битве при Коровнике, было далеко. Им противостояли пятнадцать мужчин, многие были вооружены и, едва сблизившись, открыли огонь. Оглушительная пальба, свист дроби — все это внесло смятение в ряды животных, и, как ни подбадривали их Наполеон и Работяга, они отступили. Появились первые раненые. Животные укрылись в хозяйственных постройках и осторожно выглядывали из щелей. Весь огромный выгон вместе с мельницей был в руках врага. Даже Наполеон приуныл, хвостик у него напрягся и как-то нервно подергивался. Он молча расхаживал взад-вперед, тоскливо поглядывая в сторону «Фоксвуда». Эх, если бы Пилкингтон пришел им на подмогу... Тут как раз вернулась четверка голубей с ответным посланием. На клочке бумаги Пилкингтон карандашом нацарапал: «За что боролись, на то и напоролись».

Между тем отряд Фредерика остановился перед ветряком. У двоих в руках появились ломик и кувалда. Животные в ужасе загудели. Сейчас начнут крушить их чудо-мельницу.

— Ничего у них не выйдет, вскричал Наполеон. — Наши стены самые толстые в мире — за неделю не сломаешь! Без паники, товарищи!

Двое, вооруженные ломиком и кувалдой, делали пробоину в фундаменте.

Бенджамин, пристально следивший за каждым их движением, покивал со знанием дела:

— Ну-ну. Еще не поняли? Сейчас они туда заложат взрывчатку.

При всем трагизме положения надо было ждать — выйти из укрытий не представлялось возможным. Через несколько минут люди Фредерика бросились врассыпную. Раздался оглушительный взрыв. Голубей с крыш словно сдуло; остальные, иcлючая одного Наполеона, зарылись в солому. Когда все снова поднялись, над землей висело огромное черное облако, его медленно относило ветром в сторону. Мельница была стерта с лица земли!

И тут животные словно воспрянули духом. Владевшие ими страх и отчаяние уступили место ярости при виде такого вопиющего варварского акта. Праведная месть, переполнявшая сердца, вылилась в мощный рев, от которого содрогнулись стены. Не дожидаясь приказа, животные лавиной хлынули на врага. Ружейная дробь секла их, как сильный град, но ничто уже не могло их остановить. Это была жестокая кровавая битва. Люди не жалели зарядов, а когда дошло до ближнего боя, в ход были пущены дубинки и тяжелые сапоги. Три овцы, корова и два гусака пали бездыханными, раненых же было не счесть. Даже у Наполеона, руководившего сражением из глубокого тыла, срезало кончик хвоста. В стане противника тоже не обошлось без потерь. Троим разбил голову Работяга своими копытами, одному корова пропорола рогами живот, еще один, имевший дело с Джесси и Бесси, остался, можно сказать, без штанов. Когда же все девять псов из наполеоновской охраны, совершив по его указанию фланговый обход под прикрытием зеленой изгороди, неожиданно выскочили с бешеным лаем, людей охватила паника: им грозило окружение. Фредерик закричал, что надо отступать, пока не отрезан путь назад, и трусливо обратился в бегство.

Животные гнали их через все поле и наддали несколько раз напоследок, прежде чем те успели продраться сквозь колючую изгородь.

Победа досталась дорогой ценой. Измученные, истекающие кровью животные заковыляли обратно. При виде павших товарищей у многих наворачивались слезы на глаза. В скорбном молчании постояли на том месте, где еще час назад возвышалась мельница. Что от нее осталось? Что осталось от вложенного в нее труда? Даже фундамент был разрушен, а камни — где они? Их разметало ударной волной. От мельницы осталось одно воспоминание.

У входа на ферму животных встретил Деловой, неизвестно где пропадавший во время сражения. Он разлетелся им навстречу весь сияющий, с ликующе задранным хвостиком. Со стороны хоздвора вдруг бабахнуло ружье.

— Зачем это? — удивился Работяга.

— В честь нашей победы! — воскликнул Деловой.

— Какой еще победы?

Вид у Работяги был плачевный: колени кровоточили, одно копыто треснуло, в задней ноге засело с десяток дробинок, еще и подкова к тому же потерялась.

— Товарищ, как ты можешь! — возмутился Деловой. — Разве мы не очистили от врага эту землю, священную землю, на которой паслись наши предки?

— Мельница погибла, два года труда погибло, — гнул свое Работяга.

— Эко дело! Новую построим. А захотим — шесть таких построим. Ты, товарищ, недооцениваешь историческое значение нашей победы. Враг хотел превратить нас в скотов, но товарищ Наполеон дал достойный отпор. Мы не позволили себя поработить.

— Значит, мы теперь не скот? — спросил Работяга.

— Скот, — подтвердил Деловой, — и это высокое звание мы отстояли в смертельном бою.

Животные, прихрамывая, входили во двор. У Работяги мучительно ныла нога, в которой засели дробинки. Он представлял себе, какого адова труда потребует полное восстановление мельницы, и мысленно уже проделывал эту ра-

Скотный Двор

боту, но, кажется, впервые задумался он о том, что ему, ни много ни мало, одиннадцать годков, еще год-другой — и конец.

Но стоило животным увидеть реющее на флагштоке зеленое знамя, стоило им услышать семь ружейных залпов в свою честь и хвалебную речь Наполеона, как они начали укрепляться в мысли, что они и впрямь одержали великую победу.

Похороны павших прошли торжественно. Работяга и Хрумка тянули подводу, служившую катафалком, а за ней следовала траурная процессия во главе с самим Наполеоном. Два дня праздновали победу. Много было песен, речей и пальбы из ружья, каждому животному выдали по яблоку (собакам — по три лепешки), а птицам — по две меры зерна. Было объявлено, что сражение войдет в историю под названием Битва за Мельницу и что учреждена боевая награда — орден Зеленого Знамени, который товарищ Наполеон вручил себе лично. Среди торжеств как-то забылась неприятная история с банкнотами.

Вскоре кто-то из свиней обнаружил в подвалах ящик виски. Видимо, первый осмотр усадьбы был недостаточно тщательным. Вечером в доме зазвучали песни, среди которых животные к своему удивлению услышали «Скот домашний, скот бесправный». Около половины десятого их ждал новый сюрприз: во двор с чер-

Джордж Оруэлл

ного хода вышел Наполеон в котелке мистера Джонса и, сделав резвый круг, снова скрылся за дверью. Все утро в доме царила гробовая тишина. Свиньи не подавали признаков жизни. В девять перед животными предстал Деловой: каждый шаг давался ему с большим трудом, вообще он был какой-то смурной — взгляд мутный, хвост опущен, рыло оплывшее. Он созвал всех обитателей фермы, чтобы сообщить им страшное известие: товарищ Наполеон умирает.

Горестный вопль вырвался из сотни глоток. Перед домом положили солому и даже после этого ходили на цыпочках. Со слезами на глазах все спрашивали друг друга, как они будут жить, если что-нибудь случится с любимым вождем.

Пронесся слух, что Цицерон все же исхитрился отравить пищу товарища Наполеона. В одиннадцать Деловой вышел с новым сообщением — уходя от нас, товарищ Наполеон издал свой последний декрет: за употребление алкоголя — смертная казнь.

К вечеру, однако, состояние вождя несколько улучшилось; на следующее утро было официально объявлено, что опасность миновала. Уже в этот день Наполеон занялся важнейшими делами. А днем позже стало известно, что он поручил Уимперу приобрести в городе специальную литературу по самогоноварению. Спустя неделю от отдал приказ распахать участок, который отводился ранее под выгон для будущих пенсионеров. Это оправдывалось тем, что пастбище якобы истощено и будет наново засеиваться травой, но вскоре все узнали о намерении Наполеона посеять там ячмень.

Об эту пору произошел странный инцидент, никто так толком и не понял, что случилось. Однажды около полуночи во дворе раздался громкий треск, все повыскакивали из своих угонов. Ночь была лунная. Возле большого сарая у торцовой стены, где красовались семь заповедей, лежала на земле приставная лестница, сломавшаяся посередине. Рядом в некоторой прострации лежал Деловой, и здесь же валялись фонарь, малярная кисть и перевернутое ведро с белой масляной краской. Псы мгновенно взяли Делового в кольцо и, как только он сумел встать на ноги, препроводили его в дом. Животные ровным счетом ничего не поняли, но старый Бенджамин со знанием дела покачал головой, хотя и не произнес ни слова.

Когда через какое-то время козочка Мюриэл решила освежить в памяти все заповеди, неожиданно выяснилось, что память в очередной раз подвела ее.

Впрочем, не одна Мюриэл помнила пятую заповедь в таком виде: «Не пей». Но было, оказывается, еще слово, которое напрочь вылетело у всех из головы.

По-настоящему пятая заповедь звучала так: «Не пей лишку».

Джордж Оруэлл

Глава девятая

Долго не заживало у Работяги треснувшее копыто. На следующий же день по окончании торжеств началось восстановление мельницы. Битюг первым включился в работу и ни разу — для него это было делом чести — не подал виду, что ему больно. Лишь вечером, оставшись наедине с Хрумкой, он признавался, как он страдает. Хрумка лечила его копыто травами, которые она предварительно пережевывала. Вместе с Бенджамином она уговаривала Работягу поберечь себя.

«Смотри, надорвешься», — часто повторяла Хрумка, но все впустую. У Работяги была одна мечта — довести дело до конца, прежде чем он уйдет на заслуженный отдых.

В свое время, когда животные принимали законы, был определен пенсионный возраст: для лошадей и свиней — двенадцать лет, для коров — четырнадцать, для собак — девять, для овец — семь, для кур и гусей — пять. Тогда же было назначено вполне приличное обеспечение по старости. Пока еще никто не достиг критического возраста, однако все эти вопросы постоянно муссировались. После того как прилегающий к саду участок засеяли ячменем, стали поговаривать о том, что взамен будет огорожена часть пастбища. Каждая лошадь могла рассчитывать на пять мер овса в день летом и мешок сена зимой, плюс морковка или яблочко по праздникам. Работяге должно было исполниться двенадцать лет следующей осенью.

А пока жизнь не баловала. Зима опять выдалась холодная, запасов же съестного было едва ли не меньше. В очередной раз всем (кроме свиней и псов-охранников) урезали пайки. Жесткая уравниловка, пояснил Деловой, противоречит принципам анимализма. Вообще он с легкостью доказал, сколь обманчиво впечатление, будто еды не хватает. Даже с учетом упорядочения дневной нормы (Деловой предпочитал говорить «упорядочение» вместо режущего ухо «сокращения») с продовольствием дело обстояло много лучше, чем во времена Джонса. Своим пронзительным голосом он зачитывал скороговоркой длинный перечень цифр, неопровержимо свидетельствовавших о том, что теперь у них больше овса и сена и кормовой свеклы, что рабочий день стал короче, вода вкуснее и чище, что детская смертность уменьшилась, а продолжительность жизни увеличилась, что соломы в стойлах прибавилось и блохи уже не так им докучают, как прежде. Животные охотно соглашались. Отчасти еще и потому, что времена Джонса, как и он сам, почти не сохранились в их памяти. Они понимали, что их жизнь тяжела и беспросветна, что они холодают и голодают, что, кроме работы и короткого сна, ничего-то им неведомо. Но, конечно, тогда было гораздо хуже. Очень хотелось в это верить. Тем более, что тогда они были подневольными, а нынче

94   *Джордж Оруэлл*

свободными, «чувствуете разницу?» бил в одну точку Деловой.

На ферме появилось много лишних ртов. Осенью опоросились сразу четыре свиньи, а это означало дополнительно тридцать одно рыло. Помет был весь пегий. Кроме Наполеона других производителей на ферме не было, вопрос об отцовстве решался однозначно. Уже планировалось купить кирпичи и доски для строительства поросячьей школы, а пока малыши брали первые уроки на кухне, и занимался с ними сам Наполеон. Для детских игр им отвели фруктовый сад, наказав держаться подальше от прочих юных отпрысков. Тогда же вышел указ, что, если свинья столкнется с кем-либо на узкой дорожке, всякий встречный обязан ее пропустить. И еще был указ: всем свиньям, независимо от чинов и званий, разрешалось по воскресеньям повязывать на хвостике зеленый бант.

Урожай в этом году оказался неплохой, тем не менее с финансами было туго. А ведь еще нужны деньги на стройматериалы для школы и на оборудование для очередной мельницы. Постоянно требовались в доме свечи и керосин, сахар для вождя (остальным свиньям возбранялось употреблять его во избежание ожирения), требовались различные инструменты, гвозди, веревки, уголь, проволока, металлический лом, мука для собачьих лепешек. Пришлось продать копну сена и часть урожая картофеля, а прода-

Скотный Двор

жу яиц довести до шести сотен в неделю, так что высиженных цыплят едва хватило для сохранения куриного рода.

Урезанные в декабре пайки в феврале опять урезали, для экономии керосина запретили зажигать фонари в стойлах. Только свиньи, похоже, ни в чем себе не отказывали — вон какие нагуляли бока!

Однажды, февраль был на исходе, по ферме распространился густой горячий дразнящий запах, доселе неведомый животным: он исходил из пивоварни, бездействовавшей при Джонсе. Кто-то сказал, что такой запах бывает, когда варят ячмень. Животные жадно втягивали ноздрями воздух, гадая, уж не готовят ли им на ужин теплую мешанку. Нет, мешанки они не дождались, зато наутро в воскресенье им объявили, что отныне весь ячмень забирается в пользу свиней; уже и поле было засеяно, что за фруктовым садом. А вскоре просочились слухи: каждая свинья получает теперь в день кружку пива, а Наполеон — две, но даже не эти две кружки поразили воображение животных, сколько эффектная подробность, что вождю подают хлебово в супнице из сервиза «Королевские скачки».

Что там говорить, жизнь обитателей «Скотного двора» не была усеяна розами, но разве все тяготы не компенсировались, хотя бы отчасти, возросшим чувством собственного достоинства? Когда они пели столько песен, произносили

Джордж Оруэлл

столько речей, участвовали в стольких маршах? Наполеон распорядился, чтобы раз в неделю проводилась стихийная демонстрация в честь побед и свершений. В назначенное время животные прекращали работу и, построившись в боевую колонну, дружно, в ногу шагали по лугам и полям, из конца в конец, — впереди свиньи, за ними лошади, коровы, овцы и наконец домашняя птица. Возглавлял шествие Наполеонов глашатай, черный петел, а справа и слева располагались псы-охранники. Работяга и Хрумка всегда несли знамя, на зеленом полотнище которого, поверх рогов и копыт, было начертано: «Да здравствует Наполеон!»

После стихийной демонстрации так же стихийно произносились оды, прославлявшие товарища Кабаньеро, Деловой приводил последнюю сводку о продуктовом изобилии, при случае палили из ружья. Самыми охочими до стихийных демонстраций были овцы, и стоило только кому-то забрюзжать (среди своих, разумеется), что-де это напрасная трата времени, мол-де, зазря мерзнем, как овцы принимались скандировать: «Четыре ноги хорошо, две ноги плохо!» Потом, кстати, многие даже полюбили эти мероприятия. Когда тебе напоминают о том, что ты сам себе хозяин и работаешь исключительно на себя, согласитесь, это действует чрезвычайно благотворно. Песни и праздничные шествия, впечатляющие цифры Делового и ружейный салют, оптимистический голос петела и торжественный подъем флага — все это, несомненно, отвлекало от мыслей, что в брюхе пусто... по крайней мере на время.

В апреле «Скотный двор» был провозглашен республикой и встал вопрос об избрании президента. Кандидатура Наполеона была единственной, что способствовало стопроцентному успеху выборной кампании. В эти дни опять заговорили о Цицероне: обнаружились новые документы, изобличающие его в пособничестве Джонсу. До сих пор считалось, что он только замышлял привести животных к поражению в Битве при Коровнике, но, оказывается, он открыто сражался на стороне врага. По сути, он возглавил вражеское войско и повел его в бой с криком «Бей скотов!». Что касается Цицероновых ран (кое-кто еще помнил, как они кровоточили), то их оставили клыки Наполеона.

В середине лета вдруг объявился ворон Моисей, о котором несколько лет ничего не было слышно. Годы его не изменили, он все так же бил баклуши и мог часами разглагольствовать о Елинесейских полях. Облюбовав пенек, он по-ораторски отставлял крыло и начинал говорить, даже если перед ним находился всего один слушатель. «Там, — значительно произносил он, показывая клювом наверх, там, за этой черной тучей, раскинулись Елинесейские поля — благодатный край, где мы забудем само слово „труд”...» Моисей как будто даже залетал пару раз в эти заоблачные выси и воочию видел вечнозеленые пастбища, и соцветия из льняного жмыха, и удивительные цветы с сахарными головками. Многие ему верили. Если в земной жизни им выпало изо дня в день работать и недоедать, разве не должен где-то существовать другой мир, где все устроено лучше и справедливее? Отношение свиней к Моисею было несколько двусмысленным. Публично шельмуя ворона как лжеца, они, однако, не только не прогнали его с фермы, но еще и поставили этого бездельника на довольствие 3 кружки пива в день.

Когда копыто у Работяги зажило, он стал выполнять свои обязанности тяжеловоза с удвоенным рвением. Надо сказать, все, даже гуси и куры, пахали весь этот год, как лошади. К повседневным заботам и необходимости опять восстанавливать мельницу добавилось строительство поросячьей школы, начатое в марте. Тяжело, конечно, на пустой желудок таскать известняковые глыбы, но Работяга держался. Внешне он никак не показывал, что сила у него уже не та.

Если его что и выдавало, так это кожа, потерявшая свой блеск, да еще, пожалуй, круп, уже не казавшийся столь мощным. Многие говорили: «Ничего, весной доберет», но прошла весна, а Работяга так и не восстановил былые кондиции. Когда он невероятным усилием вытаскивал из карьера особенно крупную глыбу, со стороны казалось, что, если бы не эта истовая вера, он бы давно рухнул бездыханный. В такие минуты по его губам можно было прочесть: «Работать еще лучше»; на большее не хватало сил. И снова Хрумка с Бенджамином уговаривали его поберечь себя, и снова он не внимал голосу разума. Накануне своего двенадцатилетия он думал лишь об одном — как бы побольше заготовить известняка.

Однажды под вечер вдруг пронесся слух — что-то случилось с Работягой, который в одиночку таскал камни для мельницы. Слух очень быстро подтвердили голуби: «Он упал! Он лежит на боку и не может подняться!»

Половина обитателей фермы помчалась к холму. Возле тележки лежал Работяга со странно вывернутой шеей и даже не пытался оторвать морду от земли. Глаза у него остекленели, бока лоснились от пота. Изо рта тянулась запекшаяся струйка крови. Хрумка упала на колени.

— Ну что? Как ты?

— С легкими что-то, — слабым голосом ответил Работяга. — Неважно... теперь вы сможете закончить сами. Камней должно хватить. Так и так через месяц мне на пенсию. Знаешь, я все думаю: скорей бы уж. Бенджамин тоже старый... может, вместе уйдем...

— Срочно нужна помощь, — вскинулась Хрумка. — Сбегайте кто-нибудь на ферму и расскажите все Деловому.

Животные бросились выполнять поручение. Остались только Хрумка и Бенджамин — он улегся рядом с Работягой и молча отгонял от него мух своим длинным хвостом. Минут через пятнадцать появился Деловой — сама озабоченность и сострадание. Товарищ Наполеон, сказал он, очень близко к сердцу принял несчастье, случившееся с лучшим работником фермы, и уже ведет переговоры о том, чтобы поместить его в городскую лечебницу. Это сообщение вызвало некоторую тревогу. Кроме Молли и Цицерона никто и никогда не покидал пределов фермы, и одна мысль, что их больной товарищ попадет в руки человека, была им неприятна. Но Деловой легко их убедил — в Уиллингдоне ветеринар скорее сумеет сделать все необходимое. Через полчаса Работяге стало немного получше, ему помогли подняться и отвели в стойло, где Бенджамин и Хрумка уже настелили свежую солому.

Работяга провел в стойле два дня. Свиньи обнаружили в ванной аптечку, а в ней большой флакон с розовой жидкостью — это лекарство Хрумка давала больному два раза в день после еды. По вечерам она ложилась рядом и что-нибудь ему рассказывала, а Бенджамин отгонял мух. Работяга не пал духом.

После выздоровления он рассчитывал прожить еще года три, мирно пощипывая травку на пенсионном лужке. Наконец-то у него будет время заняться самообразованием. Остаток дней он хотел посвятить изучению последующих двадцати двух букв алфавита.

Скотный Двор

Вечерами, как было сказано, больного навещали друзья, но днем он оставался один, и именно в это время за ним пожаловал закрытый фургон.

Животные пропалывали сорняки под наблюдением свиньи, когда их взору предстала невиданная картина: со стороны фермы галопом мчался старый осел и орал что было мочи. Впервые они видели всегда невозмутимого Бенджамина в таком возбужденном состоянии, да и прыти такой никто от него не ожидал.

«Скорей, скорей! — кричал осел. — Они забирают Работягу!» Не спросясь у свиньи, животные побросали тяпки и побежали к ферме. И точно: во дворе стоял большой наглухо закрытый фургон с надписью на боку, на козлах восседал плутоватого вида человек в котелке с низкой тульей. Стойло Работяги было пустым.

Животные сгрудились вокруг фургона.

— До свиданья, Работяга! — закричали все наперебой. — Скорее возвращайся!

— Болваны! — взревел Бенджамин и запрыгал, затопотал копытами. — Болваны! Вы посмотрите, что тут написано!

Произошло некоторое замешательство. Мюриэл начала разбирать текст по складам, но Бенджамин протиснулся вперед и прочел вслух при гробовом молчании:

— «Альфред Симмондс, забой скота. Дубленая кожа, клейстер, костная мука». Ну, поняли? Они везут его на живодерню!

Вопль ужаса вырвался из десятка глоток. Человек, сидевший на козлах, протянул кнутом двух своих лошадок, и те резво взяли с места в карьер.

Животные с криком бросились вдогонку. Хрумка бежала первой, но фургон успел набрать скорость. При всей своей грузности Хрумка перешла на легкий галоп.

— Работяга! — звала она друга. — Мы здесь! Мы здесь!

Неизвестно, что расслышал Работяга в общем шуме, но вдруг в заднее оконце просунулась его морда с белой полосой.

— Вылезай! — кричала Хрумка не своим голосом. — Вылезай немедленно! Они хотят тебя убить!

Все подхватили:

— Вылезай, Работяга, вылезай!

Фургон отрывался от них с каждой минутой. Трудно сказать, понял ли Работяга, о чем ему кричали, но морда его исчезла, и в следующую секунду судорожные удары копыт начали сотрясать фургон. Он предпринял попытку выбраться наружу. Было время, когда трех-четырех его ударов хватило бы, чтобы разнести этот фургон в щепы, но сейчас он был слишком слаб и очень быстро затих. Тогда животные, отчаявшись, стали уговаривать лошадок остановиться.

— Товарищи, братья, — взывали они, — вы же везете его на верную смерть!

Но глупая скотина, не понимавшая, о чем сыр-бор, только прибавляла шаг.

Скотный Двор

С опозданием кому-то пришло в голову закрыть главные ворота — фургон уже проскочил их и удалялся. Больше Работягу не видели.

Спустя три дня стало известно, что Работяга скончался в ветлечебнице, хотя было сделано все возможное и даже невозможное. Об этом рассказал Деловой, ни на шаг не отходивший, по его собственным словам, от умирающего.

— У меня сердце разрывалось! — Деловой смахивал слезу копытцем. — Он отошел, можно сказать, у меня на руках. Перед тем как испустить дух, он прошептал одними губами, что ему было бы легче уйти из жизни, если бы мельница уже стояла. «Вся надежда, товарищи, на вас, — прошептал он. — С честью несите знамя Восстания. Да здравствует „Скотный двор"! Да здравствует товарищ Кабаньеро! Наполеон всегда прав». Это были его последние слова.

Тут Деловой странным образом переменился. Он вдруг умолк, а его подозрительные глазки-пуговки зашныряли по всем, кто его слушал.

Деловой сказал, что в день, когда увезли Работягу, распространился гнусный слушок. Кто-то прочел на фургоне надпись «Забойщик скота» и сделал отсюда скоропалительный вывод, что битюга забрали на живодерню. Большего абсурда нельзя себе вообразить. «Как вы могли! — визжал Деловой, суча ножками, и хвостик у него при этом нервно подергивался. — Как вы могли такое подумать о любимом вожде, о нашем Кабаньеро!» На самом деле разгадка была проста.

Джордж Оруэлл

Ветеринар совсем недавно купил фургон у забойщика скота и еще не успел закрасить старую надпись. А из этого накрутили бог знает что!

У животных словно камень с души свалился. Когда же Деловой описал в красках просторную палату, куда поместили Работягу, и прекрасный уход, и дорогие лекарства, на которые Наполеон не пожалел никаких денег, последние сомнения рассеялись, и чувство горечи по поводу смерти друга смягчила мысль о том, что по крайней мере это была легкая смерть.

В ближайшее воскресенье Наполеон почтил своим присутствием утреннюю летучку и произнес короткую речь в честь безвременно ушедшего товарища. К сожалению, сказал он, не удастся перевезти на ферму его бренные останки, но зато из лавра, что растет в саду, будет сделан большой венок, который украсит его могилу. Кроме того, свиньи намерены устроить в своем узком кругу траурный банкет. В конце своей короткой речи Наполеон напомнил присутствующим два любимых девиза покойного: «Работать еще лучше» и «Наполеон всегда прав». Пусть каждый, сказал он, воспримет эти девизы как свои собственные.

В день, когда должен был состояться траурный банкет, бакалейщик из Уиллингдона доставил в усадьбу нечто тяжелое и тщательнейшим образом упакованное. Вечером дом огласило мощное хоровое пение, которое позже, судя по ряду признаков, перешло в бурную

Скотный Двор

ссору. А закончилось все около одиннадцати оглушительным звоном стекла. До середины следующего дня дом стоял как вымерший. Поговаривали, что свиньи сумели где-то раздобыть денег на ящик виски.

Глава десятая

Прошли годы. Зимы сменялись веснами, пролетал короткий век животных.

Кроме Хрумки, Бенджамина, ручного ворона и нескольких свиней не осталось больше живых свидетелей старого режима.

Умерла Мюриэл, умерли Бесси, Джесси и Пинчер. Джонс тоже умер — далеко от родных мест, в лечебнице для хронических алкоголиков. О Цицероне давно уже не вспоминали. Не вспоминал никто и о Работяге — кроме тех немногих, кто его знал. Хрумка располнела и постарела, у нее было неважно с суставами, и глаза все чаще слезились. Пенсионного возраста она достигла два года назад, но вопрос с пенсией оставался пока открытым. Разговоры о том, чтобы огородить для престарелых животных часть пастбища, давно, как говорится, замяли для ясности. Наполеон вошел в пору зрелости и весил ни много ни мало полтора центнера. У Делового глазки совсем заплыли от ожирения. А вот старый Бенджамин почти не изменился, разве что стал еще более мрачным и замкнутым после смерти Работяги, да и морда заметно поседела.

До изобилия, о котором когда-то мечталось, было, пожалуй, еще далеко, а вот ртов существенно прибавилось, это факт. Выросло целое поколение, знавшее о великой Битве только понаслышке, иные были приобретены на торгах — этим слово «восстание» и вовсе ничего не говорило. В конюшне появились три новые лошади — статные, ладные, настоящие трудяги и хорошие товарищи, но, что называется, бог ума не дал. Дальше буквы «В» ни одна из них не продвинулась.

Они с готовностью принимали все на веру — величие одержанной над Джонсом победы, принципы анимализма — особенно когда это исходило от Хрумки, которая заменила им мать; но, конечно же, глубинный смысл этих понятий был им недоступен.

Хозяйство нынче выглядело более организованным, и дела велись на широкую ногу. Владения «Скотного двора» расширились за счет земель, приобретенных у мистера Пилкингтона. Строительство ветряной мельницы благополучно завершилось, появились собственные молотилка и транспортер, выросли новые постройки. Уимпер купил двухколесный экипаж. Кстати, о мельнице. Хотя динамо-машину для преобразования энергии ветра в электрическую так и не поставили, все же она исправно молола зерно, что приносило устойчивый доход. Сейчас животные ударными темпами строили вторую мельницу, на которой опять-таки намечалось

Скотный Двор

поставить динамо-машину, правда, красивой жизни, в свое время предсказанной Цицероном (электрифицированные стойла с горячей и холодной водой, трехдневная рабочая неделя и все такое прочее), уже никто не обещал. Наполеон заявил, что подобные идеи противоречат духу анимализма. Подлинное счастье, учил он, в постоянном труде и отказе от всего лишнего.

Общее впечатление, надо сказать, было такое, что богатеет ферма, но никак не ее обитатели — свиньи и собаки, разумеется, не в счет. Не потому ли, что очень уж их много, свиней и собак, расплодилось. И ведь не скажешь, будто они не работали. Не зря же Деловой постоянно напоминал, сколь многосложны вопросы организации и управления. Собственно, животные даже не пытались постичь умом эту хитрую механику. Чего стоила одна деятельность по составлению бумаг, сами названия которых звучали красиво и таинственно: «досье», «инструкция», «протокол», «меморандум». Все эти бумажные простыни исписывались сверху донизу, а потом в обязательном порядке сжигались. От этих бумаг, говорил Деловой, зависит благополучие и даже само существование фермы. Вот только никакой еды ни свиньи, ни собаки не производили, а размножались, кстати, не хуже прочих, да и на отсутствие аппетита не жаловались.

Жизнь прочих ни в чем не изменилась: недоедали, спали на соломе, пили из пруда, работали в поле. Зимой страдали от холода, летом от мух.

Джордж Оруэлл

Иногда старожилы, поднапрягшись, пытались вспомнить, как им жилось сразу после изгнания Джонса — лучше или хуже? Никто не помнил. А значит, им не с чем было сравнивать их нынешнюю жизнь, оставалось полагаться на статистические выкладки Делового, неопровержимо доказывавшие, что жизнь с каждым днем становится все краше. Тут, наверно, было над чем поломать голову, но для этого, как минимум, надо было иметь свободное время для раздумий. Один старый Бенджамин, помнивший, как он утверждал, прошлое во всех подробностях, держался мнения: что вчера, что завтра — разницы никакой, ибо жизнь есть суета и маета.

Но животные не теряли надежды, как не теряли никогда чувства гордости за свой уголок. Ведь их ферма была единственной в графстве, да что там в графстве — в Англии! — единственной, где всем заправляли животные. Даже несмышленые сосунки, даже пришлые, ранее жившие на соседних фермах, не переставали удивляться этому диву. Стоило только прогреметь ружейному залпу, стоило затрепетать на флагштоке зеленому полотнищу, как их сердца переполнялись патриотическим восторгом, и разговор мгновенно переключался на славные дела давно минувших дней — изгнание Джонса, провозглашение семи заповедей, битвы с внешними врагами. Мечта предыдущих поколений продолжала волновать умы. Все свято верили в предсказанное старым хряком светлое будущее, когда на

Скотный Двор

зеленые пастбища не ступит нога человека. Оно придет, это будущее, пусть не скоро, пусть многие не доживут до него, но оно придет. И еще зазвучит громогласно песня «Скот домашний, скот бесправный», которую и сейчас, надо полагать, мурлычут себе под нос то тут, то там, во всяком случае, знают ее все, хотя и не отваживаются петь в открытую. Да, животным жилось несладко, да, многие надежды пока не оправдались, но, так или иначе, их жизнь в сравнении с жизнью других животных — это небо и земля. Если случалось голодать, то не потому, что последний кусок отдавался эксплуататору-человеку; если и гнули спину, то исключительно на себя. Среди них не было двуногих. Среди них не было «хозяев». Все животные были равны.

Однажды в начале лета Деловой приказал овцам следовать за ним в дальний конец фермы, где находился заброшенный участок, поросший березняком. Весь день с позволения Делового овцы пощипывали молодые побеги. Вечером он вернулся в дом, а овцам разрешил остаться в березнячке по причине теплой погоды. И все, целую неделю их не было видно. Деловой проводил с ними каждый божий день. Оказывается, он с ними разучивал новую песню, что требовало уединения.

Как-то раз, уже после появления овец, животные возвращались с работы, наслаждаясь теплым вечером, как вдруг со двора послышалось испуганное ржание. Все так и замерли. Это был голос Хрумки. Она снова заржала, и тогда все помчались на ее голос. То, что они увидели, действительно могло перепугать не на шутку.

По двору шла свинья на задних ногах.

Это был Деловой. При его внушительных габаритах не просто было держаться в таком положении, но он умело сохранял равновесие, хотя и чувствовалась некоторая скованность в движениях. В следующую минуту из дома одна за другой, на манер Делового, потянулись во двор остальные свиньи. У кого-то получалось лучше, у кого-то хуже, кого-то даже покачивало, и он словно бы искал, на что опереться, но, воздадим им должное, все сумели пройтись по двору, ни разу не опустившись на четвереньки. А потом истошно залаяли псы, пронзительно заголосил черный петел, и на пороге дома показался сам Наполеон — он бесподобно стоял на задних ногах и с победоносным видом оглядывал присутствующих, а вокруг него уже вертелись преданные телохранители.

Передним копытцем Наполеон сжимал кнут.

Воцарилась мертвая тишина. Оторопевшие животные сбились в кучу и расширенными от ужаса глазами смотрели, как длиннющая цепочка свиней неспешно совершает круг почета. Казалось, мир перевернулся. Наконец животные справились с первым шоком, и стихийный протест уже готов был выплеснуться наружу невзирая ни на панический страх перед псами-охранниками, ни на многолетнюю привычку сносить все безропотно, ничто и никогда не подвергая сомнению. Но в этот самый миг, словно по сигналу, овцы дружно грянули:

— Четыре ноги хорошо, две ноги лучше! Четыре ноги хорошо, две ноги лучше!

Они скандировали пять минут, и когда в конце концов представилась возможность вклиниться со словом протеста, это потеряло всякий смысл, потому что свиньи уже скрылись в доме.

Бенджамин почувствовал, как чей-то нос ткнулся ему в плечо. Это была Хрумка. Взгляд у нее был почти невидящий. Она молча потянула его за гриву, и он послушно проследовал за ней к большому сараю. Они остановились перед стеной с семью заповедями. Минуту-другую они созерцали просмоленную черную стену, на которой выделялись белые строчки.

— Совсем что-то я ослепла, — нарушила молчание Хрумка. — Вообще-то я всегда была несильна в грамоте, но, сдается мне, раньше текст выглядел как-то не так. Погляди, Бенджамин, все ли заповеди на месте?

Впервые в жизни старый осел изменил своему правилу — прочел вслух то, что было некогда написано Деловым. Собственно говоря, от написанного осталась одна-единственная заповедь, и звучала она так:

ВСЕ ЖИВОТНЫЕ РАВНЫ,
НО НЕКОТОРЫЕ ЖИВОТНЫЕ РАВНЕЕ

Джордж Оруэлл

После этого уже никого не удивило, когда на следующий день свиньи, осуществлявшие надзор за полевыми работами, вооружились кнутами. Не удивило, что свиньи подписались на «Дейли миррор», «Джона Булля» и «Пикантные новости», что они купили себе радиоприемник и уже договорились об установке телефона. Не удивились при виде Наполеона, прогуливающегося в саду с трубкой в зубах. Не удивились даже тогда, когда свиньи продемонстрировали гардероб прежнего владельца фермы, когда Наполеон предстал перед их взорами в кожаных крагах и черном сюртуке поверх прозодежды (мистер Джонс в ней обычно морил крыс), а его любимая хрюшка напялила на себя шелковое муаровое платье, которое миссис Джонс надевала по воскресеньям.

Через неделю двор заполнили двухколесные экипажи — это соседи-фермеры приняли приглашение осмотреть «Скотный двор». Они пришли в восхищение от увиденного, особенно от мельницы. Животные, прилежно занимавшиеся прополкой, глаз поднять не смели; неизвестно, кто нагнал на них больше страху, люди или свиньи.

Весь вечер в доме звучали песни и громкий смех, знакомые и незнакомые голоса смешались. И тут вдруг животными овладело жгучее любопытство: что же там может происходить между ними и нами, впервые встретившимися на равных?

Скотный Двор

Не сговариваясь, они тихо прокрались в сад, примыкавший к дому.

Перед воротами они было сробели, но Хрумка решительно повела их за собой. Они на цыпочках приблизились к окнам, и те, кто был повыше ростом, заглянули в гостиную. За длинным столом сидели человек шесть гостей и столько же свиней из ближайшего окружения Наполеона, сам Кабаньеро занимал почетное место во главе стола. Сидеть на стульях свиньям явно было не впервой. Шла игра в карты, но в этот момент игроки прервались, чтобы произнести тост. Большой кувшин пошел по кругу, кружки наполнились пивом.

Никто не почувствовал устремленных на них взглядов.

Наконец поднялся мистер Пилкингтон, владелец «Фоксвуда». «Перед тем как мы выпьем, — сказал он, — позвольте мне произнести несколько слов».

Для него, сказал Пилкингтон, как, вероятно, и для всех остальных, радостно сознавать, что положен конец долгому периоду взаимного недоверия и непонимания. Было время, когда на уважаемых владельцев «Скотного двора» фермеры посматривали — о присутствующих, разумеется, он не говорит — не то чтобы враждебно, но с известной настороженностью. Имели место отдельные инциденты, бытовали превратные взгляды. Само существование фермы, где всем заправляют животные, казалось чем-то противоестественным и вдобавок представляющим угрозу для всей округи. Многие, не дав себе труда разобраться, решили, что на такой ферме должны царить моральное разложение и разгильдяйство. Фермеры опасались дурного влияния на свой домашний скот и даже на своих работников. Но сегодня все сомнения развеялись. Сегодня они посетили «Скотный двор», осмотрели все до мелочей — и что же? Они увидели не только передовые методы ведения хозяйства, но, главное, такой железный порядок, такую трудовую дисциплину, которые должны послужить для них примером. Без особого риска ошибиться можно было утверждать, что на «Скотном дворе» животные низшего сорта работали вдвое больше и ели вдвое меньше, чем их собратья во всем графстве. Одним словом, людям есть что позаимствовать, и чем скорее они это сделают, тем лучше.

В заключение, сказал Пилкингтон, ему хочется еще раз подчеркнуть важность развития добрососедских отношений между «Скотным двором» и прочими фермами. Людям и свиньям нечего делить. У них общие заботы, общие проблемы. Разве перед каждым хозяином не встает вопрос, как заставить других трудиться на себя? Тут мистер Пилкингтон, похоже, готов был ввернуть заготовленную остроту, но до того сам развеселился, что слова застряли у него в горле. Он долго тряс пунцовыми подбородками и наконец кое-как выдавил из себя: «У вас свой скот, у нас свой!» Бонмо было встречено дружным хохотом. Мистер Пилкингтон поздравил свиней с успешным введением удлиненного рабочего дня и нормированного питания, а также с умением держать массу в ежовых рукавицах.

После этого он поинтересовался, у всех ли наполнены кружки, и предложил выпить стоя.

— Джентльмены! — возвысил он голос. — Джентльмены, я пью за процветание «Скотного двора»!

Ответом ему были радостные выкрики и громкий топот. Наполеон до того растрогался, что сполз со стула и пошел чокнуться с Пилкингтоном. Когда шум стих, Наполеон, оставшийся стоять, тоже изъявил желание произнести тост.

Как всегда, он выражал свои мысли коротко и ясно. Он был тоже доволен тем, что период полного взаимонепонимания преодолен. Долгое время, сказал Наполеон, распространялись слухи — вернее, кому-то было выгодно их распространять, — будто он и его соратники ведут подрывную, чуть ли не революционную деятельность. Им приписывалось намерение взбунтовать животных на соседних фермах. Додуматься до такого могли только люди с извращенным воображением! Единственное, чего хотят, и всегда хотели, свиньи, — это жить в мире и поддерживать нормальные деловые отношения с соседями. Ферма, во главе которой Наполеон имеет честь находиться, есть не что иное, как акционерное предприятие. Держателями акций, сосредоточенных вроде бы в его, Наполеона, руках, на самом деле являются все свиньи.

Хотя со старыми предрассудками, сказал он, кажется, покончено, в самое ближайшее время будет осуществлен ряд мер, которые должны еще больше укрепить доверие соседей. До сего дня среди животных существовал нелепый обычай — обращаясь друг к другу, прибавлять «товарищ». С этим пора покончить. Укоренился также довольно странный, неизвестно откуда взявшийся обычай — каждое утро по воскресеньям проходить торжественным маршем мимо кабаньего черепа, насаженного на кол. С этим тоже будет покончено; череп уже захоронен. Вероятно, гости обратили внимание, продолжал он, на зеленое полотнище, развевающееся на флагштоке. Если так, то они наверняка отметили отсутствие на полотнище рогов и копыт. Отныне на флаге не будет никакой символики.

В блестящей речи мистера Пилкингтона, исполненной искреннего дружеского чувства, лишь один момент вызвал у Наполеона протест, а именно: настойчивое употребление оборота «Скотный двор». Разумеется, мистер Пилкингтон не мог знать, ибо только сейчас об этом впервые заявляется во всеуслышание, что название это упразднено и заменяется другим, — кстати, более правильным, исконным названием — «Райский уголок».

— Джентльмены, — в заключение сказал Наполеон, — я хочу повторить прежний тост, но придав ему несколько иное звучание. Прошу наполнить до краев ваши кружки, джентльмены. Итак, мой тост: за процветание «Райского уголка»!

Вся компания встретила его речь столь же громким одобрением и дружно осушила кружки. С теми, кто наблюдал эту сцену, происходило нечто вроде коллективной галлюцинации: свиные рыла... они как-то неуловимо менялись на глазах. Хрумка, все видевшая как в тумане, в растерянности вертела головой туда-сюда — у этого вон пять подбородков, у того четыре, у кого-то три... но почему все физиономии расплываются, деформируются? Тут как раз смолкли аплодисменты, и компания возобновила прерванную карточную игру. Животные так же бесшумно выбрались из сада.

Однако не успели они пройти и двадцати ярдов, как за их спиной раздался дикий гвалт. Все бросились назад, и что же они увидели? В гостиной разгорелась настоящая свара — с выкриками, ударами по столу, оскорбительными намеками и яростными опровержениями. Насколько можно было понять со стороны, причиной послужило то, что у Наполеона и у Пилкингтона одновременно оказалось на руках по тузу пик.

Двенадцать игроков визжали на один манер. А свиные рыла... так вот оно в чем дело! Животные переводили взгляд со свиньи на человека, с человека на свинью и уже не могли различить, кто есть кто.

1945 г.

«Весь мир насилья мы разрушим до основанья...», или Несколько слов от переводчика

Не имея лица, тоталитаризм придумывает себе маски. Папа Док, дядюшка Пино, Иосиф Прекрасный... есть что-то трогательное в этом желании понравиться своему народу. А народ любит маскарад и расплачивается жизнью за участие в жестокой драме.

Чью драму имел в виду Дж. Оруэлл, сочиняя в 1945 году свою сказку?

Кровавые «свинства», творящиеся на ферме, и сама терминология (животные комитеты, собрания, обращение «товарищ») не оставляют на этот счет сомнений.

Поэтому обычный для переводчика вопрос, в какую среду, бытовую и языковую, погружать текст, в данном случае не возникал. Время и место указал автор.

Зато он задал другие задачки.

Начать с названия. «Господская» ферма превращается в «животную», а когда свиньи сами становятся господами (при этом оставаясь животными!), ферме возвращается ее исконное название. Существенно и то, что «при перемене мест слагаемых сумма не меняется»: и при старой власти, и при новой жизнь у животных скотская. Так появились названия «Райский уголок» и «Скотский уголок», звучащие в равной степени пародийно.

А вот как явился на свет божий Цицерон... У Оруэлла кабанчик имеет кличку Снежный Ком, что «не есть хорошо» по-русски и по своей значимости не ставит персонаж вровень с его соперником Наполеоном. Переводчик выстроил довольно сложную цепочку: снежок — шарик — горошина, или «цицеро» (по-латыни), — Цицерон. Получилась достойная пара — Наполеон и Цицерон, к тому же последний действительно оратор, вернее, краснобай.

Но довольно примеров. Ограничусь рядом общих соображений.

1. Перевод произведений игровых по своей природе невозможен без внутренней свободы. Лучшая, на мой взгляд, русская «Алиса» — заходеровская.

Кстати, она очень близка к подлиннику, и пусть никого не вводит в заблуждение словечко «пересказ» — оно для церберов из Министерства обороны культуры.

2. Перевод есть зазеркальное отражение текста. Переводятся не слова, а образы, оживают не фразы, а интонации.

Скотный Двор

3. Перевод — это всегда новое качество, в чем без труда каждый может убедиться, поставив рядом четырех (на сегодняшний день) русских Оруэллов (речь только об одной повести). Порадуемся за читателя, у которого есть выбор.

4. Всякая «вольность» имеет границы допустимого. Переводческий произвол (неоправданный) поголовно наказуем.

Наш читатель, вероятно, самый обидчивый читатель в мире. Поэтому тех, кто заранее готов поджать губы, оскорбившись за «наши идеалы», я хочу сразу успокоить: сатира Оруэлла направлена не против «наших», правильнее сказать, общечеловеческих идеалов, а против глумления над ними, открытого или завуалированного, против социальной демагогии и политического авантюризма, в чем (не будем тянуть на себя всю простыню) преуспели в ХХ веке не одни мы. И современных луддитов, кроме нас, повсюду хватает.

Диктатура в любой своей разновидности пробуждает звериные инстинкты.

Тоталитаризм универсален. Все маски на одно лицо.

Все же хочется остаться немножко наивным. Хочется верить, что эта бесхитростная сказка, в ряду более серьезных вещей, помогает нам понять, что, прежде чем радостно восклицать: «Весь мир насилья мы разрушим до основанья...», не худо бы самих себя спросить: «...а зачем?»

Сергей Таск

ЭССЕ

Литература и тоталитаризм

Начиная свое первое выступление, я говорил, что наше время не назовешь веком критики. Это эпоха причастности, а не отстраненности, и поэтому стало так трудно признать литературные достоинства за книгой, содержащей мысли, с которыми вы не согласны. В литературу хлынула политика в самом широком смысле этого слова, она захватила литературу так, как при нормальных условиях не бывает, — вот отчего мы теперь столь обостренно чувствуем разлад между индивидуальным и общим, хотя он наблюдался всегда. Стоит только задуматься, до чего сложно сегодняшнему критику сохранить честную беспристрастность, и станет понятно, какие именно опасности ожидают литературу в самом близком будущем.

Время, в которое мы живем, угрожает покончить с независимой личностью, или, вернее, с иллюзиями, будто она независима. Меж тем, толкуя о литературе, а уж тем паче о критике, мы не задумываясь исходим из того, что личность вполне независима. Вся современная европейская литература — то есть та, которая создавалась последние четыре века, — стоит на принципах честности, или, если хотите, на шекспировской максиме: «Своей природе верен будь». Первое наше требование к писателю — не лгать, писать то, что он действительно думает и чувствует. Худшее, что можно сказать о произведении искусства, — оно фальшиво. К критике это относится даже больше, чем непосредственно к литературе, где не так уж досаждает некое позерство, манерничанье, даже откровенное лукавство, если только писатель не лжет в самом главном. Современная литература по самому своему существу — творение личности. Либо она правдиво передает мысли и чувства личности, либо же ничего не стоит.

Как я уже сказал, это для нас само собой разумеется, но едва стоит нам это произнести, как осознаешь, какая над литературой нависла угроза. Ведь мы живем в эпоху тоталитарных государств, которые не предоставляют, а возможно, и не способны предоставить личности никакой свободы. Упомянув о тоталитаризме, сразу вспоминают Германию, Россию, Италию, но, думаю, надо быть готовым к тому, что это явление сделается всемирным. Очевидно, что времена свободного капитализма идут к концу, и то в одной стране, то в другой он сменяется централизованной экономикой, которую можно характеризовать как социализм или как государ-

Джордж Оруэлл

ственный капитализм — выбор за вами. А значит, иссякает и экономическая свобода личности, то есть в большой степени подрывается ее свобода поступать как ей хочется, свободно выбирая себе профессию, свободно передвигаясь в любом направлении по всей планете. До недавней поры мы еще не предвидели последствий подобных перемен. Никто не понимал как следует, что исчезновение экономической свободы скажется на свободе интеллектуальной. Социализм обычно представляли себе как некую либеральную систему, одухотворенную высокой моралью. Государство возьмет на себя заботы о вашем экономическом благоденствии, освободив от страха перед нищетой, безработицей и т. д., но ему не будет никакой необходимости вмешиваться в вашу частную интеллектуальную жизнь. Искусство будет процветать точно так же, как в эпоху либерального капитализма, и даже еще нагляднее, поскольку художник более не будет испытывать экономического принуждения.

Опыт заставляет нас признать, что эти представления пошли прахом. Тоталитаризм посягнул на свободу мысли так, как никогда прежде не могли и вообразить. Важно отдавать себе отчет в том, что его контроль над мыслью преследует цели не только запретительные, но и конструктивные. Не просто возбраняется выражать — даже допускать — определенные мысли, но диктуется, что именно надлежит думать; создается идеология, которая должна быть принята личностью, норовят управлять ее эмоциями и навязывать ей образ поведения. Она изолируется, насколько возможно, от внешнего мира, чтобы замкнуть ее в искусственной среде, лишив возможности сопоставлений. Тоталитарное государство обязательно старается контролировать мысли и чувства своих подданных по меньшей мере столь же действенно, как контролирует их поступки.

Вопрос, приобретающий для нас важность, состоит в том, способна ли выжить литература в такой атмосфере. Думаю, ответ должен быть краток и точен: нет. Если тоталитаризм станет явлением всемирным и перманентным, литература, какой мы ее знали, перестанет существовать. И не надо (хотя поначалу это кажется допустимым) утверждать, будто кончится всего лишь литература определенного рода, та, что создана Европой после Ренессанса.

Есть несколько коренных различий между тоталитаризмом и всеми ортодоксальными системами прошлого, европейскими, равно как восточными. Главное из них то, что эти системы не менялись, а если менялись, то медленно. В средневековой Европе церковь указывала, во что веровать, но хотя бы позволяла держаться одних и тех же верований от рождения до смерти. Она не требовала, чтобы сегодня верили в одно, завтра в другое. И сегодня дело обстоит так же для приверженца любой ортодоксальной церкви: христианской, индуистской, буддистской, магометанской. В каком-то отношении круг его мыслей заведомо ограничен, но этого круга он держится всю свою жизнь. А на его чувства никто не посягает.

Тоталитаризм означает прямо противоположное. Особенность тоталитарного государства та, что, контролируя мысль, оно не фиксирует ее на чем-то одном. Выдвигаются догмы, не подлежащие обсуждению, однако изменяемые со дня на день. Догмы нужны, поскольку нужно абсолютное повиновение подданных. Однако невозможно обойтись без коррективов, диктуемых потребностями политики власть предержащих. Объявив себя непогрешимым, тоталитарное государство вместе с тем отбрасывает само понятие объективной истины. Вот очевидный, самый простой пример: до сентября 1939 года каждому немцу вменялось в обязанность испытывать к русскому большевизму отвращение и ужас, после сентября 1939 года — восторг и страстное сочувствие. Если между Россией и Германией начнется война, а это весьма вероятно в ближайшие несколько лет, с неизбежностью вновь произойдет крутая перемена. Чувства немца, его любовь, его ненависть при необходимости должны моментально обращаться в свою противоположность. Вряд ли есть надобность указывать, чем это чревато для литературы. Ведь творчество — прежде всего чувство, а чувства нельзя вечно контролировать извне. Легко определять отвечающие данному моменту установки, однако литература, имеющая хоть какую-то ценность, возможна лишь при условии, что пишущий ощущает истинность того, что он пишет; если этого нет, исчезнет творческий инстинкт. Весь накопленный опыт свидетельствует, что резкие эмоциональные переоценки, каких тоталитаризм требует от своих приверженцев, психологически невозможны, и вот прежде всего по этой причине я полагаю, что конец литературы, какой мы ее знали, неизбежен, если тоталитаризм установится повсюду в мире. Так ведь до сих пор и происходило там, где он возобладал. В Италии литература изуродована, а в Германии ее почти нет. Основное литературное занятие нацистов состоит в сжигании книг. Даже в России так и не свершилось одно время ожидавшееся нами возрождение литературы, видные русские писатели кончают с собой, исчезают в тюрьмах — обозначилась эта тенденция весьма определенно.

Я сказал, что либеральный капитализм с очевидностью идет к своему концу, а отсюда могут сделать вывод, что, на мой взгляд, обреченной оказывается и свобода мысли. Но я не думаю, что это действительно так, и в заключение просто хочу выразить свою веру в способность литературы устоять там, где корни либерального мышления особенно прочны, — в немилитаристских государствах, в Западной Европе, Северной и Южной Америке, Индии, Китае. Я верю — пусть это слепая вера, не больше, — что такие государства, тоже с неизбежностью придя к обобществленной экономике, сумеют создать социализм в нетоталитарной форме, позволяющей личности и с исчезновением экономической свободы сохранить свободу мысли. Как ни поворачивай, это единственная надежда, оставшаяся тем, кому дороги судьбы литературы. Каждый, кто понимает ее значение, каждый, кто ясно видит главенствующую роль, которая принадлежит ей в истории человечества, должен сознавать и жизненную необходимость противодействия тоталитаризму, навязывают ли его нам извне или изнутри.

19 июня 1941 г.

Писатели и Левиафан

О положении писателя в эпоху, когда все находится под контролем государства, уже немало сказано, хотя большая часть информации, относящаяся к этой теме, пока недоступна. Я не собираюсь высказываться за государственный патронаж над искусствами или против него, я только хочу определить, какие именно требования, исходящие от государственной машины, которым хотят нас подчинить, отчасти объяснимы атмосферой, иными словами, мнениями самих писателей и художников, степенью их готовности подчиниться или, напротив, сохранить живым дух либерализма. Если лет через десять выяснится, как мы раболепствовали перед деятелями типа Жданова, значит, иного мы и не заслужили. Совершенно ясно, что уже и сейчас среди английских литераторов сильны тоталитаристские настроения. Впрочем, здесь речь идет не о каком-то организованном и сознательном движении вроде коммунистического, а только о последствиях, вызванных возникшей перед людьми доброй воли необходимостью думать о политике и выбирать ту или иную политическую позицию.

Мы живем в век политики. Война, фашизм, концлагеря, резиновые дубинки, атомные бомбы и прочее в том же роде — вот о чем мы размышляем день за днем, а значит, о том же главным образом пишем, даже если не касаемся всего этого впрямую. По-другому быть не может. Очутившись на пароходе, который тонет, думаешь только о кораблекрушении. Но тем самым мы не просто ограничиваем свой круг тем, мы и свое отношение к литературе окрашиваем пристрастиями, которые, как нам хотя бы порой становится ясно, лежат вне пределов литературы. Нередко мне начинает казаться, что даже в лучшие времена литературная критика — сплошной обман, поскольку нет никаких общепринятых критериев, реальность не дает никаких подтверждений оценкам, по которым вот эта книга «хорошая», а та «плохая», и выходит, что всякое суждение основано лишь на том или ином своде правил, призванных обосновать интуитивные пристрастия. Истинное восприятие книги, если она вообще вызывает какой-то отзвук, сводится к обычному «нравится» или «не нравится», а все прочее — лишь попытка рационального объяснения этого выбора. Мне кажется, такое вот «нравится» вовсе не противоречит природе литературы; противоречит ей другое: «Книга содержит близкие мне идеи, и поэтому необходимо найти в ней достоинства». Разумеется, превознося книгу из сугубо политических соображений, можно при этом не кривить душой, искренне принимая такое произведение, но столь же часто бывает, что чувство идейной солидарности с автором толкает на прямую ложь. Это хорошо известно каждому, кто писал о книгах в периодике с четкой политической линией. Да и вообще, работая в газете, чьи позиции разделяешь, грешишь тем, что ей поддакиваешь, а в газете, которая по своей ориентации тебе далека, — тем, что умалчиваешь о собственных взглядах. Так или иначе, бесчисленные произведения, в которых твердо проводится определенная агитация — за Советскую Россию или против, за сионизм или против, за католическую церковь или против и т. д., — оказываются оценены еще до того, как их прочтут, собственно, до того, как напишут. Можно уверенно предсказать, какие отклики будут в этой газете, а какие в другой. И при всей бесчестности, которую уже едва осознают, поддерживается претензия, будто о книгах судят по литературным меркам.

Понятно, что вторжение политики в литературу было неотвратимым. Даже не возникни особый феномен тоталитаризма, оно бы все равно свершилось, потому что в отличие от своих дедов мы прониклись угрызениями совести из-за того, что в мире так много кричащих несправедливостей и жестокостей, и это чувство вины, побуждая нас ее искупить, делает невозможным

Джордж Оруэлл

чисто эстетическое отношение к жизни. В наше время никто не смог бы так самозабвенно отдаться литературе, как Джойс или Генри Джеймс. Но беда в том, что, признав свою политическую ответственность, мы отдаем себя во власть ортодоксальных доктрин и «партийных подходов», хотя из-за этого приходится трусливо молчать и поступаться истиной. По сравнению с писателями викторианской эпохи нам выпало несчастье жить среди жестко сформулированных политических идеологий, чаще всего наперед зная, какие идеи представляют собой ересь. Современный писатель постоянно снедаем страхом — в сущности, не перед общественным мнением в широком смысле слова, а перед мнениями той группы, к которой принадлежит он сам. Хорошо хоть, что таких групп, как правило, несколько и есть выбор, однако всегда есть и доминирующая ортодоксия, посягательство на которую требует очень крепких нервов и нередко готовности сократить свои расходы вполовину, причем на много предстоящих лет. Всем известно, что последние полтора примерно десятилетия такой ортодоксией, особенно влиятельной среди молодежи, является «левизна». Для нее самыми ценными эпитетами остаются слова «прогрессивный», «демократический», «революционный», а теми, которых приходится пуще всего страшиться, — «буржуазный», «реакционный», «фашистский»: не дай Бог и к тебе могут прилипнуть эти клички. Ныне чуть не все и каждый, включая большинство католиков и консерваторов, «прогрессивны» или хотят, чтобы о них так думали. Мне не известно ни одного случая, когда бы человек говорил о себе, что он «буржуазен», точно так же как люди, достаточно грамотные, чтобы понять, о чем речь, ни за что не признают за собой антисемитизма. Все мы славные демократы, антифашисты, антиимпериалисты, все презираем классовые разделения, возмущаемся расовыми предрассудками и т. д. Никто всерьез не сомневается, что нынешняя левая ортодоксия предпочтительнее довольно снобистской и ханжеской консервативной ортодоксии, которая доминировала двадцать лет назад, когда самыми влиятельными журналами были «Крайтерион» и (куда менее притязательный) «Лондон меркьюри». Ведь, что ни говори, провозглашенной целью левых является жизнеспособное общество, которого и вправду хотят массы людей. Но у левых есть своя демагогия и ложь, а поскольку это не признается, некоторые проблемы становится просто невозможным по-настоящему обсуждать.

Вся левая идеология — и научная, и утопическая — разработана теми, кто не ставил перед собой как непосредственную задачу достижение власти. Поэтому она была идеологией экстремистской, подчеркнуто не считавшейся с царями, правительствами, законами, тюрьмами, полицейскими, генералами, знаменами, границами, с патриотическими чувствами,

Джордж Оруэлл

религией, моралью — словом, со всем наличествующим порядком вещей. Еще на нашей памяти левые силы во всех странах сражались против тирании, казавшейся неуязвимой, и легко было предполагать, что, если бы только вот *эта* конкретная тирания — капитализм — была свергнута, социализм немедленно бы воцарился вместо нее. Кроме того, от либералов левые переняли несколько весьма сомнительных верований — например, во всепобеждающую силу правды, в то, что подавлять — значит губить самих себя, и что по природе своей человек добр, и что злым его делают исключительно окружающие условия. Эта перфекционистская доктрина глубоко укоренена почти во всех нас, и, движимые верой в нее, мы протестуем, когда, к примеру, правительство лейбористов предоставляет крупные суммы дочерям монарха или не решается национализировать сталелитейную промышленность. Но, сталкиваясь всякий раз с реальностью, вера трещит по швам, и мы начинаем мучиться противоречиями, не желая в этом признаться.

Первым таким столкновением с реальностью оказалась русская революция. В силу довольно сложных причин едва ли не все английские левые должны были принять установленную ею систему как «социалистическую», понимая при этом, что и принципы ее, и практика совершенно чужды всему, что подразумевается под «социализмом» у нас самих. А в результате выработалось какое-то перевернутое мышление, допускающее, что такие слова, как «демократия», обладают двумя взаимоисключающими значениями, а такие акции, как массовые аресты или насильственные выселения, оказываются в одно и то же время как правильными, так и недопустимыми. Следующий удар по левой идеологии нанес своими успехами фашизм, который сокрушил свойственные левым пацифистские и интернационалистские устремления, что, однако, не привело к решительному пересмотру самой доктрины. Фашистская оккупация заставила европейские народы убедиться в том, что давно было известно из собственного опыта народам колоний: классовые антагонизмы не так уж сверхважны, и существует такое понятие, как интересы всей нации. С появлением Гитлера трудно стало всерьез рассуждать о «внутреннем враге» и что национальная независимость не имеет никакого значения. Но хотя все мы об этом знаем и, когда необходимо, действуем исходя из этого знания, по-прежнему господствует чувство, что сказать об этом прямо означало бы совершить предательство. Наконец — и здесь возникают самые большие сложности — левые теперь у власти, так что они обязаны взять на себя ответственность, принимая справедливые решения.

Левые правительства почти всегда разочаровывают своих сторонников, поскольку даже и в тех случаях, когда удается достичь обещан-

Джордж Оруэлл

ного ими процветания, обязательно приходится пережить трудный переходный период, о котором, до того как взять власть, едва упоминалось. Вот и мы сейчас видим, как наше правительство, отчаянно борясь с экономическими трудностями, вынуждено преодолевать последствия своей же пропаганды, которая велась в предшествующие годы. Переживаемый нами кризис не какое-то нежданное бедствие вроде землетрясения, и вызван он не войной — она его только стимулировала. Можно было десятки лет назад предвидеть, что произойдет нечто подобное. Еще с девятнадцатого века крайне проблематичным оставалось стабильное увеличение национального дохода, зависящего частью от инвестиций за рубежом, частью от надежных рынков и дешевого сырья из колоний. Было ясно, что рано или поздно что-то нарушится и мы окажемся вынужденными уравновешивать экспорт импортом; а если это случится, уровень жизни в Англии, включая уровень жизни рабочего класса, неизбежно упадет — по крайней мере на время. Однако левые партии, сколь ни громогласно выступали они против империализма, никогда не касались таких материй. Иной раз они готовы были признать, что британские рабочие до некоторой степени живут за счет грабежа Азии и Африки, но при этом дело непременно изображалось так, словно, отказавшись от таких доходов, мы каким-то образом все равно умудримся сохранить процветание.

А рабочих главным образом и обращали в социалистическую веру, говоря им: вот видите, вас эксплуатируют, — тогда как грубая истина, если исходить из положения вещей в мире, сводилась к другому: они сами эксплуатировали. Сегодня, судя по всему, мы пришли к тому, что уровень жизни рабочего класса *не может* быть сохранен на достигнутом уровне, уж не говоря о росте. Даже в том случае, если богатых заставили бы уйти, народным массам тем не менее пришлось бы или меньше потреблять, или больше производить. Не преувеличиваю ли я серьезность ситуации? Может быть, и преувеличиваю; был бы рад ошибиться. Но веду я вот к чему: среди тех, кто верен левой идеологии, сама эта проблема не может обсуждаться с откровенностью. Снижение зарплаты, увеличение продолжительности рабочего дня — такие меры считаются по самой своей сути антисоциалистическими, а поэтому должны быть отвергнуты с порога, как бы ни складывались дела в экономике. Стоит заикнуться, что эти шаги могут стать необходимыми, рискуешь тут же удостоиться всех тех эпитетов, которых мы так страшимся. Куда безопаснее избегать подобных тем, сделав вид, будто возможно поправить дело перераспределением существующего национального дохода.

Тот, кто принимает ту или иную ортодоксию, неизбежно принимает вместе с ней противоречия, которые ждут своего решения. Например, каждому разумному человеку отвратительна индустриализация с ее последствиями, однако ясна необходимость не препятствовать ей, а, наоборот, способствовать, потому что этого требуют борьба с бедностью и освобождение рабочего класса. Или другое: есть профессии, которые совершенно необходимы, однако без принуждения никто бы их для себя не избрал. Или третье: нельзя уверенно вести внешнюю политику, не располагая мощными вооруженными силами. Подобные примеры можно умножать и умножать. И всякий раз напрашивается вполне ясный вывод, который, однако, способны сделать лишь те, кто внутри себя свободен от официальной идеологии. Обычно же случается по-другому: вопрос, на который так и не найдено ответа, отодвигают куда-нибудь подальше, стараясь о нем не думать и по-прежнему повторяя слова-пароли со всей противоречивостью их смысла. Не придется рыться в ворохах периодики, чтобы обнаружить последствия такого способа мышления.

Я, конечно, не хочу сказать, что духовная бесчестность свойственна одним социалистам и левым или свойственна им более, нежели другим. Речь идет только о том, что приверженность *любой* политической доктрине с ее дисциплинирующим воздействием, видимо, противоречит сути писательского служения. Это относится и к таким доктринам, как пацифизм или индивидуализм, хотя они притязают находиться вне каждодневной политической борьбы. Право же, все слова, кончающиеся на «*-изм*», приносят с собой душок пропаганды. Верность знамени необходима, однако для литературы она губительна, пока литературу создают личности. Как только доктрины начинают воздействовать на литературу, пусть даже вызывая с ее стороны лишь неприятие, результатом неизбежно становится не просто фальсификация, а зачастую исчезновение творческой способности.

Ну и что же из этого следует? Должны ли мы заключить, что обязанность каждого писателя — «держаться в стороне от политики»? Безусловно, нет! Ведь я уже сказал, что ни один разумный человек просто не может чураться политики, да и не чурается в такое время, как наше. Я не предлагаю ничего иного, помимо более четкого, нежели теперь, разграничения между политическими и литературными обязанностями, а также понимания, что готовность *совершать поступки* неприятные, однако необходимые, вовсе не требует готовности бездумно соглашаться с заблуждениями, которые им обычно сопутствуют. Вступая в сферу политики, писатели должны сознавать себя там просто гражданами, просто людьми, но *не писателями*. Не считаю, что ввиду утонченности восприятия, им свойственной, они вправе уклониться от будничной, грязной работы на ниве политики. Как все прочие, они должны быть готовы выступать в залах, проду-

Джордж Оруэлл

ваемых сквозняками, писать мелом лозунги на асфальте, агитировать избирателей, распространять листовки, даже сражаться в окопах гражданских войн, когда это нужно. Но какие бы услуги ни оказывали они своей партии, ни в коем случае не должны они творить во имя ее задач. Им надлежит твердо сказать, что творчество не имеет к этой деятельности никакого отношения, им необходима способность, поступая в согласии с этими задачами, полностью отвергнуть, когда это требуется, официальную идеологию. Ни при каких условиях нельзя им отступать от логики мысли, почуяв, что она ведет к еретическим выводам, и опасаться, что неортодоксальность распознают, как, скорее всего, и случится. Может быть, для писателя даже скверный знак, когда его сегодня не подозревают в заигрывании с реакцией, точно так же, как двадцать лет назад плохо было дело, если его не обличали в приверженности к коммунизму.

Означает ли все сказанное, что писателю следует не только противиться диктату политических боссов, а лучше и вообще *не касаться* политики в своих книгах? И снова — безусловно, нет! Не существует причин, по которым нежелательно самым прямым образом затрагивать политику, если ему так хочется. Только пусть он говорит о ней как частное лицо, которое остается вне партии или на крайний случай действует в качестве партизана на фланге регулярной армии, вовсе в нем не нуждающейся. Подобная позиция вполне совместима с обычной и полезной политической активностью. Скажем, когда писатель считает, что войну необходимо выиграть, пусть он в ней участвует как солдат, но откажется прославлять ее в своих книгах. Если это честный писатель, может случиться, что его творчество окажется в противоречии с его политическими акциями. Иногда этого в силу очевидных причин хотелось бы избежать; в таких случаях выход не в том, чтобы насиловать собственное вдохновение, а в том, чтобы промолчать.

Кому-то покажется пораженческим или двусмысленным мой совет писателю, когда накаляются конфликты, разделить свою деятельность на две несообщающиеся сферы; но я просто не вижу, как практически он может поступить иначе. Замыкаться в башне из слоновой кости немыслимо и нежелательно. Подчинять свою личность не только партийной машине, но даже идеологии, которую исповедует какая-то группа, значило бы покончить с собой как писателем. Мы чувствуем болезненность этой дилеммы так отчетливо, потому что осознали необходимость вторжения в политику, но вместе с тем поняли, насколько это грязное и унизительное дело. А в большинстве своем мы никак не расстанемся с верой в то, что любой выбор, даже любой политический выбор, всегда лежит между добром и злом, как и в то, что все необходимое тем самым справедливо. Думаю, пора нам

Джордж Оруэлл

расстаться с этими взглядами, уместными лишь в младенчестве. В политике не приходится рассчитывать ни на что, кроме выбора между большим и меньшим злом, а бывают ситуации, которых не преодолеть, не уподобившись дьяволу или безумцу. К примеру, война может оказаться необходимостью, но, уж конечно, не знаменует собой ни блага, ни здравого смысла. Даже всеобщие выборы трудно назвать приятным или возвышенным зрелищем. И если чувствуешь обязанность во всем этом участвовать — а, на мой взгляд, ее должен чувствовать каждый за вычетом закрывшихся броней старческой немощи, глупости или лицемерия, — нужно суметь и свое «я» сберечь неприкосновенным. Для большинства людей эта проблема так не стоит, поскольку их жизнь и без того расщеплена. По-настоящему они живут лишь в часы, свободные от службы, и ничто не связывает их политическую деятельность с деловой. Да, в общем-то, от них и не требуют, чтобы они унижали собственную профессию ради политической линии. А от художника, в особенности от писателя, именно этого и добиваются; по сути, этого одного вечно требуют от них политики. Если писатель отвергает такие требования, не следует думать, что он обрек себя на пассивность. В любой из двух своих ипостасей, каждая из которых в каком-то смысле есть его целое, он может, коли нужно, действовать не менее решительно и напористо, чем все остальные. Но творчество, если оно обладает хоть какой-то ценностью, всегда будет результатом усилий того более разумного существа, которое остается в стороне, свидетельствует о происходящем, держась истины, признает необходимость свершающегося, однако отказывается обманываться насчет подлинной природы событий.

Март 1948 г.

Политика против литературы: размышление над «Путешествиями Гулливера»

В «Путешествиях Гулливера» Свифт атакует, или, скажем мягче, критикует человечество по меньшей мере под тремя разными углами, и характер самого Гулливера неизбежно в некоторой степени меняется по ходу дела. В Первой части он — типичный путешественник восемнадцатого века, смелый, практичный и лишенный какого бы то ни было романтизма, обыденность образа его мыслей с самого начала умело внедряется в сознание читателя посредством биографических подробностей, например, указания на возраст (к тому времени, когда начинается его путешествие, он — мужчина сорока лет, имеющий двух детей) или перечня предметов, содержащихся у него в карманах, особенно отмечены очки, они упоминаются несколько раз. Во Второй части его образ в целом сохраняется прежним, однако в моменты, когда это требуется с точки зрения повествователя, герой обнаруживает склонность превращаться в совершеннейшего глупца, который хвастливо повествует «о моем благородном отечестве, рассаднике наук и искусств, победителе в битвах, биче Франции»* и т. д., и т. п. и в то же время выбалтывает все известные ему скандальные факты о стране, в любви к которой клянется. В Третьей части он в значительной мере остается таким же, каким был в Первой, однако, поскольку общается он здесь главным образом с придворными и учеными, создается впечатление, будто он поднялся выше по социальной лестнице. В Четвертой части он прозревает всю чудовищность рода человеческого, о которой в предыдущих книгах не говорилось вовсе или говорилось лишь вскользь, и превращается в своего рода схимника-атеиста, единственное желание которого — жить в каком-нибудь уединенном месте, где он сможет целиком посвятить себя размышлениям о добродетельности гуингнмов. Однако ко всем этим нестыковкам Свифта вынуждает тот факт, что Гулливер как персонаж призван главным образом создавать контраст. Автору, например, необходимо, чтобы в Первой части тот выступал человеком разумным, а во второй, по крайней мере иногда, — глупцом, потому что для обеих частей важен один и тот же посыл: вы-

---

* Здесь и далее цитаты из книги Джонатана Свифта «Путешествия Лемюэля Гулливера» приводятся в переводе А. Франковского.

Джордж Оруэлл

ставить человеческое существо в смешном виде, изобразив его, например, созданием шести дюймов роста. Там, где Гулливер не выступает в качестве «подставного лица», характер его обладает некой последовательностью, особенно проявляющейся в его находчивости и наблюдательности по отношению к материальному миру. Герой остается самим собой, и стиль повествования не меняется, ни когда Гулливер приводит военный флот Блефуску в Лилипутию, ни когда он вспарывает брюхо гигантской крысе, ни когда бежит морем в утлой лодчонке, сделанной из шкур йеху. Более того, трудно избавиться от ощущения, что в наиболее проницательных высказываниях Гулливер — это сам Свифт, а по крайней мере в одном случае автор решается прямо высказать свою обиду на современное общество. Вспомним: когда загорается императорский дворец в Лилипутии, Гулливер тушит пожар, помочившись на огонь. И вместо того, чтобы похвалить за находчивость, его обвиняют в преступлении, караемом смертью в соответствии с законом, по которому никто не имеет права мочиться в ограде дворца.

«...меня конфиденциально уведомили, что императрица, страшно возмущенная моим поступком, переселилась в самую отдаленную часть дворца, твердо решив не отстраивать прежнего своего помещения; при этом она в присутствии своих приближенных поклялась отомстить мне».

По словам профессора Д. М. Тревельяна («Англия при королеве Анне»), отчасти причиной того, что Свифт не занял более высокого положения в обществе, следует считать возмущение королевы его «Сказкой бочки» — памфлетом, которым, как, вероятно, предполагал Свифт, он сослужил добрую службу английской короне, поскольку подверг суровой критике диссентеров* и еще более суровой — католиков, не тронув официальную церковь. Так или иначе, никто не станет отрицать, что «Путешествия Гулливера» книга злобная, а равно пессимистичная и что особенно в первой и третьей частях автор опускается до узкой политической пристрастности. Мелочность и великодушие, республиканские и авторитарные взгляды, преклонение перед разумом и отсутствие пытливости — все в ней перемешано. Отвращение к человеческому телу, которым Свифт славился особо, доминирует лишь в Четвертой части, но почему-то эта новая одержимость не становится сюрпризом для читателя, который чувствует, что все эти приключения могли случиться с человеком, в котором даже при переменчивости настроения сохранялась внутренняя связь между

---

* Д и с с е н т е р ы (от англ. dissent — разногласие, расхождение во взглядах) — общее обозначение членов религиозных объединений, оппозиционных в отношении к государственной церкви и действующих вне ее. *(Примеч. пер.)*

Джордж Оруэлл

политическими убеждениями и глубочайшим личным отчаянием, что составляет одну из наиболее интересных особенностей книги.

С политической точки зрения Свифт был одним из тех, кого безрассудные деяния прогрессивной партии того времени загоняли в своего рода извращенный торизм. Первую часть «Путешествий Гулливера», якобы сатиру на человеческую манию величия, если вглядеться глубже, можно рассматривать как выпад против Англии, против господствующей партии вигов и против войны с Францией, которая — какими бы дурными ни были мотивы союзников — все же спасла Европу от единоличной тирании реакционной державы. Свифт не был ни якобитом, ни тори в строгом смысле этого понятия, декларировавшейся им целью был мирный договор на умеренных условиях, а не полное поражение Англии. Тем не менее, в его позиции ощущается налет квислингизма, который проявляется в конце Первой части и слегка нарушает стройность аллегории. Когда Гулливер бежит из Лилипутии (Англии) в Блефуску (Францию), предполагаемый подтекст — что человеческое существо шести дюймов росту ничтожно уже по самой своей сути — утрачивается. В то время как жители Лилипутии повели себя по отношению к Гулливеру исключительно коварно и низко, блефускуанцы проявили великодушие и открытость, и эта часть книги, в отличие от предыдущих, заканчивается в совершенно иной тональности, нежели всепоглощающий пессимизм. Очевидно, что враждебность Свифта направлена в первую очередь против Англии. Именно «ваших аборигенов» (то есть соотечественников Гулливера) король Бробдингнега считает «породой маленьких отвратительных гадов, самых зловредных из всех, какие когда-либо ползали по земной поверхности», и длинный заключительный пассаж, осуждающий колониализм и захват чужих земель, явно метит в Англию, хотя в нем якобы энергично утверждается обратное. Голландцы, союзники Англии, уже послужившие мишенью для критики в одном из самых знаменитых памфлетов Свифта, также с той или иной степенью суровости подвергаются осуждению в Части третьей. И едва ли не личное торжество угадывается в эпизоде, где Гулливер выражает удовлетворение тем, что Британская корона не сможет колонизировать открытые им страны:

«Правда, гуигнгнмы как будто не так хорошо подготовлены к войне, искусству, которое совершенно для них чуждо, особенно что касается обращения с огнестрельным оружием. Однако будь я министром, я никогда бы не посоветовал нападать на них <...> Представьте себе двадцать тысяч гуигнгнмов, врезавшихся в середину европейской армии, смешавших строй, опрокинувших обозы и превращающих в котлету лица солдат страшными ударами своих задних копыт...»

Джордж Оруэлл

Учитывая, что Свифт даром слов не тратит, можно предположить, что за выражением «превращающих в котлету лица солдат» кроется тайное желание автора увидеть, как подобному обращению подвергается непобедимая армия герцога Мальборо. И подобные штрихи разбросаны повсюду. Даже упомянутая в Части третьей страна, где «...большая часть населения состоит сплошь из разведчиков, свидетелей, доносчиков, обвинителей, истцов, очевидцев, присяжных, вместе с их многочисленными подручными и помощниками, находящимися на жалованье у министров и депутатов», названа им Ланген, что за вычетом одной буквы по-английски составляет анаграмму слова Англия. (А поскольку ранние издания книги не были свободны от опечаток, можно предположить, что название задумывалось как полная анаграмма.) Физическое отвращение Свифта к человечеству, разумеется, не выдумка, но возникает ощущение, что развенчание им идеи человеческого величия, его диатрибы, направленные против лордов, политиков, королевских фаворитов и иже с ними, подразумевают главным образом конкретную цель и проистекают из его принадлежности к не преуспевшей партии. Он обличает несправедливость и угнетение, однако не выказывает никаких признаков расположенности к демократии. При всей его несравнимо бульшей влиятельности, позиция Свифта, как она видится нам, весьма напоминала позицию бесчисленных «глупоумных» консерваторов нашего времени, таких как сэр Алан Херберт, профессор Дж. М. Янг, лорд Элтон, члены консервативного Комитета по реформам или длинная череда апологетов католицизма, начиная с У. Г. Мэллока и далее по списку — людей, охотно упражняющихся в остроумии по поводу всего «современного» и «прогрессивного» и не стесняющихся экстремальных высказываний, поскольку они знают, что их высказывания никоим образом не повлияют на реальный ход событий. В конце концов, памфлет вроде «Рассуждения о неудобстве уничтожения христианства в Англии» сразу приводит на память «Робкого Тимоти» с его невинными шутками по адресу Мозгового треста или отца Рональда Нокса, уличающего Бертрана Рассела в ошибках. И легкость, с какой Свифту простили — причем даже иные самые благочестивые верующие — богохульство его «Сказки бочки», со всей очевидностью показывает, насколько религиозные чувства слабее по сравнению с политическими.

Тем не менее, реакционность мышления Свифта проявляет себя прежде всего вне политической сферы. Существенней его отношение к науке и, если брать шире, к интеллектуальной пытливости вообще. Знаменитая Академия в Лагадо, описанная в Третьей части «Путешествий Гулливера», вне всяких сомнений является отнюдь не безосновательной сатирой

　　　　　Джордж Оруэлл

на большую часть так называемых ученых времен Свифта. Знаменательно, что ее сотрудники именуются «прожектерами», поскольку не ведут бескорыстные исследования, а занимаются придумыванием всевозможных устройств, призванных экономить труд и приносить деньги. Однако нет никаких свидетельств того — напротив, по всей книге разбросаны указания на обратное, — что и «чистая наука» представляется Свифту сто́ящей деятельностью. Более серьезные ученые тоже получили от него пинок под зад в Части второй, там, где «научные светила» по распоряжению короля Бробдингнега пытаются прояснить природу малого роста Гулливера:

«После долгих дебатов они пришли к единодушному заключению, что я не что иное, как "рельплюм скользкатс", что в буквальном переводе означает "lusus naturae" ("игра природы") — определение как раз в духе современной европейской философии, профессора которой, относясь с презрением к ссылке на "скрытые причины", при помощи которых последователи Аристотеля тщетно стараются замаскировать свое невежество, изобрели это удивительное разрешение всех трудностей, свидетельствующее о необыкновенном прогрессе человеческого знания».

Если бы это высказывание было единичным, можно было бы подумать, что Свифт просто ополчается против *лженауки*. Однако в тексте немало мест, где он с пеной у рта доказывает бесполезность любого ученого знания или рассуждения, не направленного на какую-либо практическую цель.

«Знания этого народа (бробдингнегов) очень недостаточны: они ограничиваются моралью, историей, поэзией и математикой, но в этих областях, нужно отдать справедливость, ими достигнуто большое совершенство. Что касается математики, то она имеет здесь чисто прикладной характер и направлена на улучшение земледелия и всякого рода механизмов, так что у нас она получила бы невысокую оценку. А относительно идей, сущностей, абстракций и трансценденталей мне так и не удалось внедрить в их головы ни малейшего представления».

Гуингнмы — существа идеальные, с точки зрения Свифта, — народ отсталый даже в том, что касается элементарной механики. Им неведомы металлы, они никогда ничего не слыхали о кораблях, не ведут сельского хозяйства в строгом смысле этого понятия (как нам сообщают, овес, которым они питаются, «растет сам собой») и, судя по всему, так и не изобрели колеса*. У них нет письменности, и они явно не

---

* Гуингнмов, слишком старых, чтобы передвигаться самостоятельно, по описанию Свифта, возят на «санях», или в повозках, которые тащат, как сани. То есть, предположительно — не на колесах. *(Примеч. авт.)*

проявляют особой любознательности в отношении материального мира. Они не верят, что существуют другие населенные живыми существами страны, кроме их собственной, и хотя отдают себе отчет в движении солнца, луны и в природе затмений, «...это предельное достижение их *астрономии*». В противоположность им философы летающего острова Лапута всегда настолько поглощены математическими расчетами, что, прежде чем заговорить с ними, нужно хлопнуть их по уху надутым пузырем, чтобы привлечь внимание. Они составили перечень десяти тысяч недвижимых звезд, установили периоды появления девяноста трех комет и, опередив европейских астрономов, обнаружили, что у Марса есть две луны. Все эти знания Свифт явно находит смехотворными, бесполезными и неинтересными. Как и следовало ожидать, он считает, что место ученого — если таковое вообще существует — лаборатория, и научное знание никоим образом не влияет на сферу политики.

«Но что меня более всего поразило и чего я никак не мог объяснить, так это замеченное мной у них пристрастие к новостям и политике; они вечно осведомляются насчет общественных дел, высказывают суждения о государственных вопросах и ожесточенно спорят из-за каждого вершка партийных мнений. Впрочем, ту же наклонность я заметил и у большинства европейских математиков, хотя никогда не мог найти ничего общего

между математикой и политикой: разве только, основываясь на том, что самый маленький круг имеет столько же градусов, как и самый большой, они предполагают, что и управление миром требует не большего искусства, чем какое необходимо для управления и поворачивания глобуса».

Ничего знакомого не замечаете во фразе «никогда не мог найти ничего общего между математикой и политикой»? Это же в точности то, что говорят популярные католические проповедники, выражающие недоумение, когда какой-нибудь ученый высказывается по таким вопросам как существование Бога или бессмертие души. Ученый, внушают нам, — это эксперт лишь в какой-то ограниченной сфере; с какой стати признавать ценность его мнения в любой другой? Подразумевается, что теология есть такое же точное научное знание, как, к примеру, химия, а священник — такой же эксперт, чьи заключения по определенным вопросам должны приниматься безоговорочно. В сущности, Свифт требует того же и для политика, но идет еще дальше, не признавая за ученым — будь то представитель «чистой» науки или исследователь *ad hoc** — права считаться личностью, полезной даже в своей области. Если бы Свифт и не написал Третью часть «Путешествий Гулливера», из всего остального текста можно бы-

---

* Произвольный, надуманный *(лат.)*

Джордж Оруэлл

ло бы заключить, что ему, подобно Толстому и Блейку, ненавистна сама идея изучения процессов, происходящих в Природе. «Разум», который так восхищает его в гуингнмах, отнюдь не означает способность делать логические выводы из наблюдаемых фактов. Хоть он нигде не декларирует этого открыто, из многих эпизодов следует, что для него это понятие означает здравый смысл — то есть признание очевидного и презрительное отношение ко всякого рода софизмам и абстракциям — либо полную бесстрастность и непредубежденность. В целом он считает, что мы уже знаем все, что знать необходимо, и просто неправильно используем свои знания. Медицина, к примеру, является наукой бесполезной, потому что, веди мы более естественный образ жизни, никаких болезней не существовало бы вовсе. В то же время Свифт — не проповедник «простой жизни» и не поклонник Благородного дикаря. Он благосклонно относится к цивилизации и ее благам. Он не только высоко ценит хорошие манеры, искусство беседы и даже познания в области литературы и истории, он также понимает, что сельское хозяйство, навигацию и архитектуру следует изучать и развивать для всеобщей пользы. Но его предполагаемая цель — неизменная, равнодушная к познанию цивилизация, то есть, в сущности современный ему мир, немного более чистый, немного более разумный, без радикальных перемен и попыток проникнуть в неведомое. Более, чем можно было бы ожидать от человека, столь свободного от общепринятых заблуждений, он чтит прошлое, особенно классическую античность, и уверен, что современный человек резко деградировал за последнее столетие*. Оказавшись на острове чародеев, где можно по своему желанию вызывать духов умерших,

«...я попросил вызвать римский сенат в одной большой комнате и для сравнения с ним современный парламент в другой. Первый казался собранием героев и полубогов, второй — сборищем разносчиков, карманных воришек, грабителей и буянов».

Хотя в этой главе Части третьей Свифт подвергает сокрушительной критике достоверность официальной истории, критический дух покидает его, как только речь заходит о греках и римлянах. Он, разумеется, не обходит молчанием коррупцию, царившую в Римской империи, но испытывает какое-то безрассудное восхищение выдающимися фигурами античного мира.

---

* Физическое вырождение, которое Свифт, по его словам, наблюдал, могло в те времена быть фактом реальным. Он объясняет его распространением сифилиса, который был тогда для Европы болезнью новой и, вполне вероятно, проявлялся в более опасных формах, чем теперь. Спиртные напитки также были в семнадцатом веке новинкой и поначалу могли привести к широкому распространению пьянства. *(Примеч. авт.)*

Джордж Оруэлл

«При виде Брута я проникся глубоким благоговением: в каждой черте его лица нетрудно было увидеть самую совершенную добродетель, величайшее бесстрастие и твердость духа, преданнейшую любовь к родине и благожелательность к людям. С большим удовольствием я убедился, что оба эти человека находятся в отличных отношениях друг с другом, и Цезарь откровенно признался мне, что величайшие подвиги, совершенные им в течение жизни, далеко не могут сравниться со славой того, кто отнял у него эту жизнь. Я удостоился чести вести долгую беседу с Брутом, в которой он между прочим сообщил мне, что его предок Юний, Сократ, Эпаминонд, Катон-младший, сэр Томас Мор и он сам всегда находятся вместе — секстумвират, к которому вся история человечества не в состоянии прибавить седьмого члена».

Следует отметить, что из этих шестерых только один является христианином. Это важный момент. Сложив вместе пессимизм Свифта, его почитание прошлого, нелюбознательность и ужас, который он испытывает перед человеческим телом, получим мировоззрение, характерное для клириков-реакционеров, то есть людей, защищающих несправедливое устройство общества на том основании, что сколько-нибудь существенно улучшить этот мир невозможно, а посему значение имеет лишь «мир иной». Однако Свифт не проявляет никаких признаков того, что у него есть религиозные убеждения, по крайней мере, в общепринятом смысле этого понятия. Судя по всему, он сколько-нибудь серьезно не верит в жизнь после смерти, и его представления о добре связаны с республиканизмом, любовью к свободе, храбростью, «человеколюбием» (под которым он подразумевает общественную сознательность), «благоразумием» и иными языческими добродетелями. И это напоминает нам о другой стороне личности Свифта, плохо сочетающейся с его неверием в прогресс и огульной ненавистью к человечеству.

Начать с того, что временами он выступает с позиций «конструктивных» и даже «продвинутых». Допускаемая кое-где непоследовательность — почти знаковое свойство утопической литературы, и Свифт порой вставляет хвалебное слово в пассаж, призванный, казалось бы, быть чисто сатирическим. Так свои мысли об образовании юношества он приписывает лилипутянам, взгляды которых на эту проблему почти совпадают со взглядами гуингнмов. У лилипутян также есть различные общественные и юридические установления (например, пенсионное обеспечение стариков, поощрение законопослушных граждан и наказание за нарушение законов), которые он приветствовал бы в своей стране. Где-то в середине этого эпизода Свифт вспоминает о своем сатирическом замысле и добавляет: «Описывая как эти, так и другие законы империи, я хочу предупредить читателя, что мое описание касается только исконных установлений страны, не имеющих ничего общего с современной испорченностью нравов, являющейся результатом глубокого вырождения»; но поскольку предполагается, что Лилипутия — это олицетворение Англии, а законы, о которых он говорит, в Англии никогда не имели аналогов, становится очевидным, что потребность выступить с конструктивным предложением просто оказалась для автора непреодолимой. Однако самым существенным вкладом Свифта в политическую мысль — в узком смысле этого понятия — является его критика, особенно в Части третьей, того, что теперь назвали бы тоталитаризмом. Он демонстрирует удивительно ясное предвидение наводненного шпионами «полицейского государства» с его бесконечной охотой на еретиков и судами над предателями — государства, где все это предназначено для нейтрализации общественного недовольства путем обращения его в военную истерию. И заметьте, Свифт выводит целое из малой части, поскольку современные ему слабые правительства еще не предоставляли тому готовых иллюстраций. Например, вспомним профессора Школы политических прожектеров, который показал Гулливеру огромный свод «инструкций для открытия противоправительственных заговоров», утверждая при этом, что тайные мысли людей следует распознавать, исследуя их экскременты,

«...ибо люди никогда не бывают так серьезны,
глубокомысленны и сосредоточены, как в то вре-
мя, когда они сидят на стульчаке, в чем он убе-
дился на собственном опыте; в самом деле, когда,
находясь в таком положении, он пробовал, про-
сто в виде опыта, размышлять, каков наилучший
способ убийства короля, то кал его приобретал
зеленоватую окраску, и цвет его был совсем дру-
гой, когда он думал только поднять восстание или
поджечь столицу».

Существует мнение, что образ этого профессора и его теория были подсказаны Свифту не
таким уж — с высоты нашего опыта — удиви-
тельным или отвратительным фактом: на одном
из незадолго до того случившихся государственных судебных процессов в качестве улики были
представлены некие письма, найденные в отхо-
жем месте. А чуть позже в той же главе мы словно бы попадаем в разгар политических чисток,
впоследствии имевших место в России.

«...в королевстве Трибниа, называемом тузем-
цами Лангден... большая часть населения состоит
сплошь из разведчиков, свидетелей, доносчиков,
обвинителей, истцов, очевидцев, присяжных...
Прежде всего они соглашаются и определяют
промеж себя, кого из заподозренных лиц обвинить
в заговоре; затем прилагаются все старания, что-
бы захватить письма и бумаги таких лиц, а их

　　　　　　　　　　　　Джордж Оруэлл

собственников заковать в кандалы. *Захваченные письма и бумаги передаются в руки специальных знатоков, больших искусников по части нахождения таинственного значения слов, слогов и букв... Если этот метод оказывается недостаточным, они руководствуются двумя другими, более действенными, известными между учеными под именем акростихов и анаграмм. Один из этих методов позволяет им расшифровать все инициалы, согласно их политическому смыслу. Так, N будет означать заговор; B — кавалерийский полк; L — флот на море... Пользуясь вторым методом, заключающимся в перестановке букв подозрительного письма, можно прочитать самые затаенные мысли и узнать самые сокровенные намерения недовольной партии. Например, если я в письме к другу говорю: "Наш брат Том нажил геморрой", искусный дешифровальщик из этих самых букв прочитает фразу, что заговор открыт, надо сопротивляться и т. д. Это и есть анаграмматический метод».*

Другие профессора этой школы придумывают упрощенные языки общения и специальные механические устройства, которые сами пишут книги, учат своих студентов, заставляя их съедать облатки, на которых записаны тексты уроков, или предлагают разом устранять индивидуальные особенности, отрезая часть мозга у одного человека и вживляя ее в голову другого. Есть нечто странно знакомое в атмосфере, описанной в этих главах, потому что сквозь всю эту нарочитую буффонаду пробивается ощущение, что одной из целей тоталитаризма является не просто заставить людей мыслить *правильно,* но в сущности сделать так, чтобы они вообще *поменьше думали.* Да и то, как Свифт описывает Вождя, правящего племенем йеху, и «фаворита», которого сначала используют для грязной работы, а потом делают козлом отпущения, удивительно точно соответствует характерным особенностям нашего времени. Но должны ли мы из всего этого сделать вывод, что Свифт в первую очередь и главным образом является врагом тирании и защитником свободомыслия? Нет, насколько можно понять, его взгляды отнюдь не отличаются либерализмом. Безусловно, он ненавидит лордов, королей, епископов, генералов, светских львиц, всевозможные ордена, титулы и вообще подобный вздор, но, похоже, и о простолюдинах думает не лучше, чем об их правителях, и едва ли он является сторонником большего социального равенства или у него вызывает восторг идея представительных органов. Общество гуингнмов организовано по кастовой системе, расовой по существу: масть лошадей, выполняющих обязанности прислуги, отличается от масти их хозяев, и никакое скрещивание между ними не допускается. Система образования, которая так восхитила Свифта в Лилипутии, здесь имеет безоговорочно наследственный сословный характер: дети из беднейших клас-

Джордж Оруэлл

сов вообще не учатся в школах, потому что, раз «...они предназначены судьбой возделывать и обрабатывать землю... то их образование не имеет особого значения для общества». Не видно и чтобы Свифт, несмотря на терпимость, проявлявшуюся к его собственным сочинениям, был пламенным приверженцем свободы слова и прессы. Король Бробдингнега поражен многочисленностью религиозных сект и политических фракций в Англии и считает, что те, «кто исповедуют мнения, пагубные для общества» (похоже, в данном контексте это означает просто еретические мнения), хоть и не обязаны их менять, скрывать обязаны, потому что, «если требование перемены убеждений является правительственной тиранией, то дозволение открыто исповедовать мнения пагубные служит выражением слабости». Имеется и менее очевидное свидетельство собственных взглядов Свифта — оно состоит в описании того, каким образом Гулливер покидает страну гуингнмов. Время от времени Свифт выступает своего рода анархистом, и Четвертая часть «Путешествий Гулливера» представляет картину анархистского общества, управляемого не законом в обычном смысле слова, а диктатом «Разума», который все добровольно принимают. Генеральный совет гуингнмов «призывает» хозяина Гулливера избавиться от него, и соседи оказывают на него давление, чтобы он подчинился «призыву». Они выдвигают два соображения. Первое: присутствие необычного йеху может нарушить покой племени; второе — дружеские отношения между гуингнмом и йеху «...противны разуму и природе и являются вещью, никогда прежде не слыханной у них». Хозяин Гулливера не очень хочет подчиняться, но игнорировать «призыв» (как нам сообщают, гуингнма никогда не *принуждают* делать что бы то ни было, ему лишь «советуют» или его «призывают») непозволительно. Этот эпизод ясно демонстрирует тоталитарную тенденцию, таящуюся в анархистской или пацифистской общественной системе. В обществе, где не существует закона и — теоретически — нет принуждения, единственным арбитром поведения остается общественное мнение. Но в силу чрезвычайно высокой у стадных животных тяги к конформизму это общественное мнение отличается куда меньшей терпимостью, нежели любая правовая система. Когда человеческими существами управляет императив «ты не должен», индивидуум может позволить себе некоторую долю эксцентрики; когда же ими, как предполагается, правят «любовь» и «разум», он испытывает постоянное давление, заставляющее его вести себя и думать точно так же, как все остальные. Гуингнмы, как нам сообщают, имели единое мнение почти по всем вопросам. Единственным вопросом, который они когда-либо *дискутировали,* был вопрос: как поступить с йеху. Помимо этого между ними не было ни малейших разногласий, ибо истина всегда либо

Джордж Оруэлл

самоочевидна, либо непознаваема и, стало быть, неважна. В их языке, судя по всему, даже отсутствовало слово «мнение», и в разговорах никогда не возникало «разности чувств». В сущности, они достигли высшей стадии тоталитарного общества, стадии, на которой послушание стало настолько всеобщим, что отпала даже нужда в полицейских силах. Свифт подобное положение вещей одобряет, поскольку ни любознательность, ни добродушие среди его отличительных особенностей не числятся. Инакомыслие всегда представлялось ему абсолютным извращением. Он пишет, что разум для гуингнмов «...не является, как для нас, инстанцией проблематической, снабжающей одинаково правдоподобными доводами за и против; наоборот, он действует на мысль с непосредственной убедительностью, как это и должно быть, когда он не осложнен, не затемнен и не обесцвечен страстью и интересом». Иными словами: мы уже все знаем, так в честь чего нам допускать иные мнения? Из этого естественным образом и вытекает тоталитарное общество гуингнмов, в котором нет места ни свободе, ни развитию.

Можно с полным правом назвать Свифта бунтарем и иконоборцем, но, если не брать в расчет некоторые второстепенные моменты, такие как утверждение, что женщины не должны получать образование наравне с мужчинами, считать его «левым» нет оснований. Он консервативный анархист, презирающий власть, но не верящий в свободу и сохраняющий аристократическое мировоззрение при ясном понимании того, что существующая аристократия развращена и ничтожна. Когда Свифт произносит свои диатрибы против богатых и власть имущих, вероятно, как я уже говорил ранее, отчасти следует списывать их на тот факт, что сам он принадлежал к менее успешной партии и испытывал личное разочарование. По очевидным причинам, оппозиция всегда более радикальна, чем власть[*]. Но самое существенное это неспособность Свифта поверить в то, что жизнь — обычную жизнь, ту, что протекает здесь, на земле, а не умозрительную, стерилизованную ее версию — можно сделать пригодной для человека. Разумеется, никто, положа руку на сердце, не скажет, что счастье —

----

[*] В конце книги в качестве типичных образцов человеческой глупости и порочности Свифт называет «...судейского, карманного вора, полковника, шута, вельможу, игрока, политика, сводника, врача, лжесвидетеля, соблазнителя, стряпчего, предателя и им подобных». Нельзя не увидеть в этом яростную злобу человека, лишенного власти. В этом перечне свалены в кучу те, кто нарушают общественные установления, и те, кто их охраняет. К примеру, если вы осуждаете некоего полковника за то, что он полковник, то на каком основании можно осудить предателя? Или: если вы желаете искоренить воров, нужно иметь законы, а следовательно, и юристов. Но весь этот заключительный пассаж, дышащий ненавистью и неаргументированный, звучит неубедительно. Создается впечатление, что личная злоба водила пером автора. *(Примеч. авт.)*

Джордж Оруэлл

нормальное состояние ныне живущих взрослых людей, но, вероятно, существуют способы сделать его таковым, и именно вокруг этого вопроса на самом деле вращаются все серьезные политические дискуссии. У Свифта много общего — думаю, больше, чем принято считать, — с Толстым, тоже не верившим в возможность счастья. У обоих одинаково анархическое мировоззрение, за которым кроется авторитарный склад ума; оба враждебно настроены по отношению к науке, нетерпимы к оппонентам, одинаково неспособны признать важность каких бы то ни было проблем, которые неинтересны им самим; и оба испытывают ужас перед реальным течением жизни, хотя Толстой пришел к этому позднее и иным путем. Неудачно сложившаяся сексуальная жизнь обоих имеет разную природу, однако обоим им свойственно сочетание неподдельного отвращения с болезненным влечением к ней. Толстой был «раскаявшимся» повесой, пришедшим к проповеди полного воздержания, которую сам же и нарушал до весьма преклонных лет. Свифт — предположительно — страдал импотенцией и испытывал неестественный ужас перед человеческими экскрементами, притом что думал об этом, судя по его сочинениям, постоянно. Подобные люди, похоже, не способны радоваться даже той малой доле счастья, что выпадает большинству человеческих существ, и по вполне понятным причинам не желают признавать, что земная жизнь поддается значительному улучшению. Их нелюбопытство и их нетерпимость растут из одного и того же корня.

Льющееся из Свифта чувство отвращения, его злоба и пессимизм имели бы смысл, воспринимай он здешний мир как прелюдию к «миру иному». Но поскольку он, скорее всего, ни во что подобное всерьез не верит, у него возникает потребность сконструировать рай, предположительно находящийся на земле, но решительно не похожий ни на что реально существующее, в котором полностью искоренено все, что ему ненавистно: ложь, глупость, перемены, воодушевление, удовольствие, любовь и грязь. В качестве идеального существа он выбирает лошадь, животное, чьи экскременты наименее отвратительны. Гуингнмы невыносимо скучны — этот факт настолько общепризнан, что не требует никаких доказательств. Гений Свифта сумел сделать их правдоподобными, но мало найдется таких читателей, в ком они вызовут иное чувство, кроме неприязни. И дело вовсе не в уязвленном самолюбии человека, которому предпочли лошадь, ибо, если сравнивать гуингнмов и йеху, первые имеют гораздо больше общего с человеческими существами; и в ужасе перед йеху Гулливера, понимающего, что они создания той же породы, что и он сам, есть некий логический абсурд. Этот ужас охватывает его при первой же встрече с йеху. «...я никогда еще, во все мои путешествия, не встречал более безобразного животного, которое с первого же взгляда вызывало к себе такое отвращение», — говорит он. Но в сравнении с кем так отвратительны йеху? Не с гуингнмами, потому что гуингнмов Гулливер к тому времени еще не видел. Он мог сравнивать их только с собой, то есть с человеком. Впоследствии мы узнаем, что йеху *и есть* человеческие существа, и человеческое общество становится для Гулливера невыносимым, потому что все люди — йеху. Почему же в таком случае отвращение к человечеству не настигло его раньше? Нам объясняют: хоть йеху фантастически отличаются от людей, оказывается, что они — точно такие же, как люди, и это приводит автора в ужас. Не помня себя от ярости, Свифт кричит своим соплеменникам: «Вы еще грязнее, чем кажетесь!» Впрочем, испытывать симпатию к йеху и впрямь невозможно, и гуингнмы кажутся нам непривлекательными не потому, что угнетают йеху, а потому, что «Разум», который правит ими, на самом деле является хладнокровным схождением к смерти. Они свободны от любви, дружбы, любознательности, страха, печали и — если не считать чувств, которые они испытывают по отношению к йеху, занимающим в их сообществе то же место, что евреи в нацистской Германии, — от гнева и ненависти. «Они не балуют своих жеребят, но заботы, проявляемые родителями по отношению к воспитанию детей, диктуются исключительно *Разумом*». Они обладают огромным запасом «дружелюбия» и «благожелательности», но эти чувства не направлены ни на кого персонально, они изливаются лишь на весь их род в целом. Они ценят искусство беседы, но в их разговорах нет разности мнений и «...говорится только о деле, и речи выражаются в очень немногих, но полновесных Словах». У них действует строгий контроль над рождаемостью, каждой паре позволено произвести на свет двух отпрысков, после чего она должна воздерживаться от половой жизни. Брачные пары подбирают старшие, руководствуясь принципами евгеники, и в языке у них слово «любовь» не имеет физиологического значения. Когда кто-нибудь умирает, они живут дальше как прежде, не испытывая ни малейшей скорби. Очевидно, что их цель, продолжая физическое существование, быть насколько возможно похожими на трупов. Надо признать, что есть несколько особенностей их жизни, которые не представляются «разумными» даже в их понимании этого слова. Так, они чрезвычайно высоко ценят не только физическую выносливость, но и атлетизм, а кроме того любят предаваться поэзии. Однако эти исключения, вероятно, не так случайны, как может показаться. Вполне вероятно, что Свифт подчеркивает физическую силу гуингнмов, чтобы сделать очевидным для читателя, что ненавистной человеческой расе никогда их не победить, а вкусом к поэзии он наделяет их потому, что поэзия — антитеза науки, самого, с его точки зрения, бесполезного из всех занятий. В Третьей части он называет «воображение, фантазию и изобретательность» необходимыми способностями, коих (несмотря на их любовь к музыке) лапутянским математикам решительно недостает. Следует помнить, что, хотя Свифт был талантливейшим сочинителем комических стихов, ценил он по-настоящему, скорее всего, лишь дидактическую поэзию. Гуингнмы, по его словам:

«...в поэзии... превосходят всех остальных смертных: меткость их сравнений, подробность и точность их описаний действительно неподражаемы. Стихи их изобилуют обоими качествами, и темой их является либо возвышенное изображение дружбы и доброжелательства, либо восхваление победителей на бегах или в других телесных упражнениях».

Увы, даже гений Свифта оказался бессилен создать образец, по которому можно было бы судить о величии поэзии гуингнмов. Однако, судя по описанию, это было нечто чопорное (предположительно рифмованные стихи героического содержания), не противоречащее принципам «Разума».

Печально известно, что описать состояние счастья чрезвычайно трудно, и картина справедливого и хорошо организованного общества редко получается привлекательной или убедительной. Большинство создателей «позитивных» утопий, тем не менее, стараются показать, какой могла бы быть жизнь, если бы мы имели возможность проживать ее с большей полнотой. Свифт же выступает за отказ от радостей жизни, обосновывая это тем, что «Разум» противоречит человеческим инстинктам. Гуингнмы, существа, не имеющие истории, из поколения в поколение ведут благоразумную жизнь, поддерживая численность своего населения строго на одном и том же уровне, избегая каких бы то ни было страстей, не страдая ни от каких болезней, встречая смерть с полным безразличием и воспитывая потомство на тех же принципах, — и все это ради чего? Ради того, чтобы процесс длился бесконечно. Им никогда не пришло бы в голову, что жизнь здесь и сейчас сто́ит того, чтобы ее прожить, что ее можно сделать более сто́ящей или что ею можно пожертвовать ради будущего блага. Унылый мир гуингнмов — это утопия, которую только и мог сконструировать Свифт, учитывая, что он не верил в «мир иной», а равно не был способен извлечь ни малейшего удовольствия из какой бы то ни было нормальной человеческой деятельности. Но сочинил он его не как нечто желанное само по себе, а как повод для очередной атаки на человечество. Его цель, как обычно, унизить человека, напомнив ему, что он слаб и смешон, а прежде всего, что он смердит; но главный, быть может, мотив состоит в своего рода зависти — зависти призрака к живому, человека, знающего, что он не способен быть счастливым, к другим, которые, как он опасается, могут быть чуточку счастливее его. В политической сфере подобное мировоззрение оборачивается либо реакционными, либо нигилистическими взглядами, ибо человек, его исповедующий, хочет предотвратить всякое развитие общества, чтобы не обмануться в своем пессимизме. И делать это он может, либо разнося всё в щепки, либо отпугивая от любых перемен. Свифт в конце концов выбрал первое: он взорвал мир к чертям единственным способом, какой был доступен до изобретения атомной бомбы, — погрузился в безумие, но, как я попытался показать, его политические цели были в общем реакционными.

По тому, что я написал, может возникнуть впечатление, будто я *против* Свифта и моя задача — доказать несостоятельность его взглядов или даже принизить его. В политическом и моральном смысле — да, я против Свифта, насколько я его понимаю. И тем не менее, как ни парадоксально, он — один из тех писателей, которыми я восхищаюсь безмерно, а «Путешествия Гулливера», с моей точки зрения, — книга, которой невозможно пресытиться. Впервые я прочел ее в восьмилетнем возрасте, чтобы быть точным, за день до восьмилетия: стащил экземпляр, который был приготовлен мне в подарок ко дню рождения, и тайком вмиг проглотил его; с тех пор я перечитывал эту книгу не менее шести раз. Ее очарование для меня неиссякаемо. Если бы мне предложили составить список из шести книг, которые будет разрешено сохранить, когда все остальные подвергнут уничтожению, я бы несомненно включил в него «Путешествия Гулливера». И тут-то встает вопрос: каково взаимоотношение между согласием со взглядами автора и наслаждением от чтения его книги?

Человек, способный интеллектуально отрешиться от взглядов автора, даже если он глубоко не согласен с ними, в состоянии *оценить* достоинства его письма, но *наслаждение* — дело иное. Предположим, что существует хорошее и плохое искусство, тогда хорошее и плохое должно быть заложено в самом произведении — не то чтобы совсем независимо от того, кто его воспринимает, но независимо от расположения его духа. В этом смысле стихотворение не может казаться хорошим в понедельник и плохим во вторник. Но если читатель судит о стихотворении по тому отклику, который оно в нем вызывало, это может оказаться именно так, потому что отклик, или наслаждение, — реакция сугубо субъективная, не поддающаяся управлению извне. Даже человек с чрезвычайно высоким уровнем культурного развития отнюдь не постоянно испытывает эстетические чувства, и разрушить их очень легко. Когда вы испуганы или голодны, у вас болит зуб или вы страдаете от морской болезни, «Король Лир» представляется вам ничуть не лучше «Питера Пена». Умом вы понимаете, что «Король Лир» лучше, но это просто факт, хранящийся в вашей памяти; вы не *прочувству-*

ете его до тех пор, пока не вернетесь в нормальное состояние. Так же катастрофически — даже еще более катастрофически, поскольку причину здесь осознать труднее, — эстетическое восприятие разрушается из-за политического или нравственного несогласия с автором. Если книга злит, ранит или вызывает у вас тревогу, она не доставит вам наслаждения, каковы бы ни были ее художественные достоинства. А если она кажется вам по-настоящему вредной, способной оказать на других нежелательное влияние, вы, возможно, даже подведете под нее некую эстетическую теорию, чтобы доказать, что никакими художественными достоинствами она *не обладает*. Современная литературная критика в значительной мере и состоит из метаний то в ту, то в другую сторону между двумя этими системами критериев. Но все же вероятен и противоположный процесс: наслаждение может пересилить неодобрение, даже тогда, когда сознаешь, что наслаждаешься чем-то совершенно чуждым и даже враждебным. Свифт, чье мировоззрение в высшей степени неприемлемо, но который, тем не менее, является чрезвычайно популярным писателем, — прекрасный тому пример. Что позволяет нам не сердиться, что нас называют йеху, при том что мы твердо убеждены: никакие мы не йеху?

Разумеется, обычного ответа — мол, конечно же, Свифт неправ, и вообще он был сумасшедшим, но он «хороший писатель» — здесь недостаточно. Да, литературные достоинства книги в какой-то незначительной степени можно отделить от ее содержания. Есть люди, обладающие врожденным даром слова, так же как некоторые наделены «игровым чутьем». В большой мере это вопрос правильного выбора времени и интуитивного понимания, на что сделать основной упор. Первый приходящий на память пример: перечитайте приведенный выше фрагмент, начинающийся со слов: «В королевстве Трибниа, называемом туземцами Лангден...» В очень большой степени впечатление, которое он производит, зависит от последней фразы: «Это и есть анаграмматический метод». Строго говоря, фраза ненужная, потому что мы уже видели, как расшифровываются анаграммы, но этот издевательски-торжественный повтор, в котором словно бы слышится голос самого Свифта, забивает последний гвоздь в картину идиотизма описанной деятельности. Однако ни мощь и простота прозы Свифта, ни сила его воображения, сделавшая, казалось бы, невероятное нагромождение слов более убедительным, нежели большинство исторических трудов, не могли бы заставить нас наслаждаться Свифтом, если бы его *видение* мира действительно было оскорбительным или шокирующим. Миллионы людей по всему свету наслаждаются «Путешествиями Гулливера», более-менее сознавая при этом антигуманную подоплеку книги; и даже ребенок, который воспринимает части первую и вторую просто как приключенческую историю, чует некую абсурдность человечков шести дюймов росту, мнящих себя людьми. Объяснение, вероятно, можно найти в том, что свифтовское ви́дение мира воспринимается не как полностью ложное, или, точнее было бы сказать, не всегда ложное. Свифт — больной писатель. Он постоянно пребывает в депрессивном состоянии, которое у нормальных людей случается лишь изредка, — это как если бы кому-то, страдающему желтухой или не оправившемуся от гриппа, достало бы сил писать книги. Но всем нам это состояние знакомо, и что-то внутри нас откликается, когда мы встречаемся с его выражением в литературе. Возьмем, к примеру, одно из самых типичных произведений Свифта, стихотворение «Дамский будуар» или близкое к нему по духу «На отход ко сну прелестной юной нимфы». Что правдивей: точка зрения, выраженная в этих стихах, или представление Блейка, вложенное в строку: «Божественно ее нагое тело»? Нет сомнений, что Блейк ближе к истине, и все же кто не испытает своего рода удовольствие при виде этой фальшивой женской хрупкости, внезапно представшей взору? Свифт искажает картину мира, отказываясь видеть в человеческой жизни что-либо, кроме грязи, глупости и порочности, но фрагмент, извлекаемый им из целого, действительно существует, и мы это знаем, хоть

Эссе

и избегаем упоминать об этом. Какой-то частью своего сознания — а у любого нормального человека эта часть преобладает — мы верим, что человек благородное животное и жизнь стоит того, чтобы ее прожить, но есть в каждом из нас некое внутреннее «я», которое, по крайней мере иногда, в ужасе отшатывается от окружающей действительности. Самым странным образом удовольствие и отвращение связаны между собой. Человеческое тело прекрасно, но оно же омерзительно и смешно — в этом нетрудно убедиться в любом плавательном бассейне. Половые органы — объект вожделения и одновременно отвращения, недаром во многих, если не во всех, языках их названия используются как ругательства. Мясо вкусно, но в лавке мясника начинает мутить; да и вся наша еда в конечном счете происходит из навоза и мертвой плоти — двух вещей, которые кажутся нам самыми ужасными из всего. Ребенок, когда он выходит из младенческого возраста, но все еще видит мир свежим взглядом, испытывает ужас так же часто, как удивление — ужас и отвращение к соплям и плевкам, к собачьим экскрементам на тротуаре, к мертвой жабе, в которой копошатся черви, к запаху пота взрослых, к безобразности стариков с лысыми головами и шишковатыми носами. Не переставая твердить о болезнях, грязи и уродствах, Свифт в сущности ничего не придумывает, он просто кое-что оставляет за

Джордж Оруэлл

скобками. Человеческое поведение тоже, особенно в политических кругах, — именно таково, каким он его описывает, хотя оно включает в себя и другие, более важные факторы, коих он не желает признавать. Насколько известно, и боль, и ужас необходимы для продолжения жизни на этой планете, поэтому пессимисты вроде Свифта имеют все основания вопрошать: «Если боль и ужас неотвратимы, как можно сделать жизнь существенно лучше?» По существу, его позиция — это позиция христианская, за вычетом обещания «мира иного», которое, впрочем, наверняка меньше владеет умами верующих, чем убеждение, что этот мир — юдоль слез, а могила — место упокоения. Я уверен, что это неправильная позиция и она может оказывать пагубное влияние на поведение человека, но что-то внутри нас отзывается на нее, как на мрачные слова заупокойной службы и сладковатый запах мертвого тела в деревенской церкви.

Часто говорят — во всяком случае, те, кто придают первостепенное значение содержанию, — что книга не может быть «хорошей», если она проповедует откровенно ложное представление о жизни. В наши времена, например, считается, что книга, обладающая подлинными художественными достоинствами, непременно должна быть более или менее «прогрессивной» по своей направленности. При этом не учитывается тот факт, что на протяжении всей человеческой истории шла такая же ожесточенная борьба между прогрессом и реакцией и что во все века лучшие книги были написаны с самых разных позиций, иные из них — с заведомо более ложных, чем другие. Поскольку писатель — это пропагандист, самое большее, чего можно от него требовать, это чтобы он искренне верил в то, что пишет, и чтобы это не было явной глупостью. Сегодня, например, легко представить себе хорошую книгу, написанную католиком, коммунистом, фашистом, пацифистом, анархистом, быть может, старомодным либералом или заурядным консерватором, однако невозможно вообразить хорошую книгу, написанную спиритуалистом, бухманитом* или ку-клукс-клановцем. Взгляды, исповедуемые автором, должны быть совместимы со здравомыслием — в медицинском понятии этого слова — и с энергией непрерывного движения мысли. Кроме этого мы вправе требовать от автора только таланта, который, вероятно, является другим названием убедительности. Свифт не обладал житейской мудростью, но был наделен гигантской силой провѝдения, позволявшей ему извлечь на

---

* Б у х м а н и т ы — последователи Фрэнка Бухмана (Букмена), американского пастора (1878—1961), основателя движения «Моральное перевооружение», а также анонимных алкоголиков. Доктрина Бухмана состоит из нескольких тезисов, вроде «Мы все виноваты во всем», «Начни с себя», «Будь искренен и чист»... *(Примеч. пер.)*

Джордж Оруэлл

свет одиночную потаенную правду, укрупнить ее и тем самым деформировать. Долгая жизнь «Путешествий Гулливера» показывает: если за текстом стоит подлинная сила убежденности, даже мировоззрение, которое с трудом выдерживает испытание на здравомыслие, способно породить великое произведение искусства.

Polemic, № 5, сентябрь-октябрь 1946 г.

Уэллс, Гитлер
и Всемирное государство

«В марте или апреле, утверждают любители пророчеств, по Англии будет нанесен сокрушительный удар... Трудно сказать, каким способом Гитлер намерен его нанести. Его ослабленные и распыленные военные части в настоящее время, по-видимому, не намного превосходят силы итальянцев, перед тем как их проверили делом в Греции и в Африке».

«Воздушное могущество немцев почти иссякло. Их авиация не отвечает современному уровню, а лучшие летчики либо погибли, либо вымотались и утратили боевой дух».

«В 1914 году за Гогенцоллернами была лучшая армия в мире. А за этим крикливым берлинским пигмеем нет ничего, с ней сопоставимого... И все равно наши военные «эксперты» твердят об ожидаемом наступлении, хотя это только фантом. Им грезится, будто немецкие войска великолепно оснащены и безупречно выучены. То нам говорят, что будет осуществлен решающий «удар» через Испанию и Северную Африку, то рассуждают о броске через Балканы, о наступлении от Дуная к Анкаре и дальше — на Персию, на Индию, — то об «уничтожении» России, то о «лавине», которая обрушится на Италию через перевал Бреннер. Проходит неделя за неделей, а фантом все остается фантомом, и ни одно из этих предсказаний не сбывается — по очень простой причине. А причина та, что ничего этого немцы осуществить не могут. Их пушки, их снаряжение слишком несовершенны, да и то, что у них было, большей частью бессмысленно потеряно из-за глупых попыток Гитлера вторгнуться на Британские острова. А вся их примитивная выучка наспех идет прахом, едва появилось понимание, что блицкриг провалился и что война — дело долгое».

Приведенные цитаты заимствованы не из кавалерийского журнала, а из серии газетных статей Герберта Уэллса, написанных в начале этого года, а теперь изданных книгой под заглавием «Путеводитель по новому миру». С тех пор как они были напечатаны, немецкая армия оккупировала Балканы и снова заняла Киренаику, она может, как только сочтет это целесообразным, двинуться и через Турцию, и через Испанию, она вторглась в Россию. Чем закончится эта последняя ее кампания, сказать не берусь, но все-таки замечу, что германский Генеральный штаб, чьи расчеты следует принимать всерьез, не начал бы операцию без твердой уверенности, что

Эссе

ее можно успешно завершить месяца за три. Вот так обстоит дело с немецкой армией, которой всего лишь пугают, не сообразив, как плохо она оснащена, как ослабела боевым духом и прочее. А что может Уэллс противопоставить «крикливому берлинскому пигмею»? Лишь обычное пустословие насчет Всемирного государства да еще декларацию Сэнки, которая представляет собой попытку определить основные права человека, сопровождаясь антивоенными высказываниями. За вычетом того, что Уэллса ныне особенно заботит, чтобы мир договорился о контроле над военными операциями в воздухе, это все те же самые мысли, которые он вот уже лет сорок непрерывно преподносит с видом проповедника, возмущенного глупостью слушателей, — подумать только, они не способны усвоить столь очевидные истины!

Но много ли проку утверждать, что необходим международный контроль над военными действиями в воздухе? Весь вопрос в том, как его добиться. Какой смысл разъяснять, до чего желательно было бы Всемирное государство? Главное, что ни одна из пяти крупнейших военных держав не допускает и мысли о подобном единении. Всякий разумный человек и прежде в основном соглашался с идеями Уэллса; но, на беду, власть не принадлежит разумным людям, и сами они слишком часто не выказывают готовности приносить себя в жертву. Гитлер — сумасшедший и преступник, однако же у Гит-

Джордж Оруэлл

лера армия в миллионы солдат, у него тысячи самолетов и десятки тысяч танков. Ради его целей великий народ охотно пошел на то, чтобы пять лет работать с превышением сил, а вслед за тем еще два года воевать, тогда как ради разумных и в общем-то гедонистических взглядов, излагаемых Уэллсом, вряд ли кто-то согласится пролить хоть каплю крови. И прежде чем заводить речь о переустройстве жизни, даже просто о мире, надо покончить с Гитлером, а для этого потребуется пробуждение энергии, которая не обязательно будет столь же слепой, как у нацистов, однако не исключено, что она окажется столь же неприемлемой для «просвещенных» гедонистов. Что позволило Англии устоять в последний год? Отчасти, бесспорно, некое смутное представление о лучшем будущем, но прежде всего атавистическое чувство патриотизма, врожденное у тех, чей родной язык английский, — ощущение, что они превосходят всех остальных. Двадцать предвоенных лет главная цель английских левых интеллигентов состояла в том, чтобы подавить это ощущение, и, если бы им удалось добиться своего, мы бы уже видели сейчас эсэсовские патрули на улицах Лондона. А отчего русские с такой яростью сопротивляются немецкому вторжению? Отчасти, видимо, их воодушевляет еще не до конца забытый идеал социалистической утопии, но прежде всего — необходимость защищать Святую Русь («священную землю отечества» и т. п.), о которой теперь вспомнил и говорит почти этими именно словами Сталин. Энергия, действительно делающая мир тем, что он есть, порождается чувствами — национальной гордости, преклонением перед вождем, религиозной верой, воинственным пылом, словом, эмоциями, от которых либерально настроенные интеллигенты отмахиваются бездумно, как от пережитка, искоренив этот пережиток в самих себе настолько, что ими утрачена всякая способность к действию.

Те, кто называет Гитлера Антихристом или, наоборот, святым, ближе к истине, нежели интеллектуалы, десять кошмарных лет утверждавшие, что это просто паяц из комической оперы, о котором нечего всерьез говорить. На поверку подобные настроения свидетельствуют лишь об изоляции, ставшей состоянием английской жизни. Книжный клуб левых, по существу, порождение Скотленд-Ярда, точно так же как Союз обета мира — порождение военного флота. Одной из примет последнего десятилетия стал статус серьезной литературы, который приобрела «политическая книга» — некий расширенный памфлет, сочетающий сведения по истории с критическими высказываниями о политике. Но даже самые заметные авторы таких книг — Троцкий, Раушнинг, Розенберг, Силоне, Боркенау, Кёстлер и другие — не были англичанами, и, кроме того, почти все они были отступниками, то есть отреклись от экстремизма партий,

Джордж Оруэлл

к которым прежде принадлежали, познакомившись с тоталитаризмом накоротке, испытав преследования и пережив изгнание. Лишь в англоязычных странах вплоть до начала войны было принято считать, что Гитлер — не заслуживающий внимания фанатик, а немецкие танки сделаны из картона. По цитируемым мною высказываниям Уэллса видно, что он и сегодня думает примерно так же. Вряд ли его мнения переменились ввиду бомбардировок или успехов немцев в Греции. Чтобы понять, в чем сила Гитлера, он должен был бы отказаться от образа мыслей, которого придерживался всю жизнь.

Подобно Диккенсу, Уэллс происходит из среднего класса, которому чуждо все военное. Его оставляют абсолютно бесстрастным гром пушек, звяканье шпор и проносимое по улицам боевое знамя, при виде которого у других перехватывает дыхание. Сражения, преследования, схватки — эта сторона жизни внушает ему глубочайшее отвращение, что выразилось во всех его ранних книгах яростными выпадами против любителей лошадей. Главный злодей в его «Историческом очерке» — Наполеон, искатель приключений на поле брани. Полистайте любую книгу Уэллса из написанных за последние сорок лет, и вы в ней обнаружите одну и ту же бесконечно повторяющуюся мысль: человек науки, который, как предполагается, творит во имя разумного Всемирного государства, и реакционер, стремящийся реставрировать прошлое во всем его хаосе, — антиподы. Это противопоставление — постоянная линия в его романах, утопиях, эссе, сценариях, памфлетах. С одной стороны — наука, порядок, прогресс, интернационализм, аэропланы, сталь, бетон, гигиена; с другой — война, националистические страсти, религия, монархия, крестьяне, профессура древнегреческого, поэты, лошади. История в понимании Уэллса — это победа за победой, которые ученый одерживает над романтиком. Что же, Уэллс, вероятно, прав, полагая, что «разумное», плановое общество, где у руля будут ученые, а не шарлатаны, рано или поздно станет реальностью, но допускать это как перспективу вовсе не то же самое, что думать, будто такое общество возникнет со дня на день. Где-то должны отыскаться следы полемики Уэллса с Черчиллем, происходившей во время русской революции. Уэллс упрекает Черчилля в том, что тот сам не верит собственным пропагандистским заявлениям, будто большевики — это чудовища, утопающие в пролитой ими крови, и т. д.; просто Черчилля страшит, что большевики возвещают наступление эры здравого смысла и научного контроля, когда для охотников помахать жупелами — таких, как Черчилль, — не останется места. Но в действительности Черчилль судил о большевиках вернее, чем Уэллс. Возможно, первые большевики были чистыми ангелами или сущими дьяволами — это не так уж важно, — но разумными людьми их никак не

Джордж Оруэлл

назовешь. И тот порядок, который они вводили, был не утопией уэллсовского образца, а правлением избранных, представлявшим собой, подобно английскому правлению избранных, военную деспотию, подкрепленную процессами в духе «охоты на ведьм». То же непонимание сути дела сказалось в иной форме, когда Уэллс взялся судить о нацистах. Гитлер — это соединившиеся в одном лице агрессоры и шарлатаны, какие только известны из истории. А стало быть, рассуждает Уэллс, это абсурд, тень давнего прошлого, выродок, которому суждено стремительно исчезнуть. Увы, нельзя поставить знак равенства между наукой и здравым смыслом. Наглядным подтверждением этого служит аэроплан, которого так нетерпеливо ждали, видя в нем символ цивилизации; на деле он почти не используется, кроме как для сбрасывания бомб. Современная Германия продвинулась по пути науки куда дальше, чем Англия, но стала куда более варварской страной. Многое из того, во что верил и ради чего трудился Уэллс, материально осуществлено в нацистской Германии. Там порядок, планирование, наука, поощряемая государством, сталь, бетон, аэропланы — и все это поставлено на службу идеям, подобающим каменному веку. Наука сражается на стороне предрассудка. Но Уэллс, само собой, не может этого принять. Ведь это противоречит мировоззрению, изложенному в его собственных книгах. Агрессоры и шарлатаны *должны быть* обречены, а идея Всемирного государства, каким его мыслит либерал прошлого столетия, чье сердце не забьется при звуке боевой трубы, *должна* восторжествовать. Если не принимать во внимание изменников и малодушных, Гитлер ни для кого *не должен* выглядеть как опасность. Его конечная победа означала бы невозможное возвращение истории вспять — вроде реставрации Якова II.

Впрочем, не становится ли отцеубийцей человек моего возраста (а мне тридцать восемь), посягнувший на авторитет Уэллса? Интеллигенты, родившиеся примерно в начале века, — в каком-то смысле уэллсовское творение. Можно спорить о степени влияния любого писателя, в особенности «популярного», чьи книги находят быстрый отзвук, но, на мой взгляд, из писавших, во всяком случае, по-английски, между 1900 и 1920 годами никто не повлиял на молодежь так сильно, как Уэллс. Все мы думали бы совсем иначе, если бы его не существовало, а значит, иным был бы и мир вокруг нас. Но дело в том, что как раз целенаправленная сосредоточенность и одностороннее воображение, которые придавали ему вид вдохновенного пророка в эдвардианский век, превращают его теперь в мелкого мыслителя, отставшего от времени. Когда Уэллс был молод, антитеза науки и реакции не выглядела ложной. Обществом управляли недалекие, редкостно банальные люди — алчные бизнесмены, тупые сквайры, епи-

Джордж Оруэлл

скопы, политики, способные цитировать Горация, но слыхом не слыхавшие об алгебре. Наука почиталась несколько безнравственной, а религия была незыблемой. Казалось, что все эти вещи одного ряда — страсть к традициям, скудоумие, снобизм, патриотические восторги, предрассудки, поклонение войне; требовался кто-то способный выразить противоположный взгляд. На заре столетия подросток впадал в экстаз, открывая для себя Уэллса. Этот подросток жил среди педантов, святош, игроков в гольф. Будущие его работодатели помыкали им: «Не смей! Нельзя!» — родители изо всех сил старались уродовать его половое развитие, безмозглые учителя издевались, вдалбливая в него мертвую латынь, — и вдруг являлся этот чудесный человек, который мог рассказать о жизни на других планетах или на дне морей и твердо *знал,* что будущее предстанет вовсе не таким, как полагали респектабельные господа. Лет за десять или даже больше до того, как инженеры сумели построить аэропланы, Уэллс знал, что человек вскоре сможет летать. А знал он это, оттого что сам *хотел* научиться летать и верил: исследования в данной области будут продолжаться. Но с другой стороны, в годы, когда я был мальчишкой и братья Райт все-таки подняли с земли машину, продержавшуюся в воздухе пятьдесят девять секунд, общественным мнением было: если бы Всевышнему угодно было, чтобы мы летали, Он бы снабдил нас крыльями. До 1914 года Уэллс был истинным пророком. Что касается материальных подробностей, его предвидение сбылось с удивительной точностью.

Однако он принадлежал девятнадцатому веку, а также народу и сословию, не любящим воевать, и поэтому для него осталась тайной огромная сила старого мира, олицетворением которого он видел тори, занятых лисьей охотой. Он не смог, да и сейчас не в состоянии понять, что национализм, религиозное исступление и феодальная верность знамени — факторы куда более могущественные, чем то, что сам он называл ясным умом. Детища темных столетий чеканным шагом двинулись в нашу эпоху, и если это призраки, то такие, которые требуют очень сильной магии, чтобы совладать с ними. Фашизм лучше всего поняли либо те, кто пострадал от него, либо сами наделенные чем-то родственным фашизму. Незатейливая книга вроде «Железной пяты», написанная тридцать с небольшим лет назад, содержит куда более верное пророчество будущего, чем «О дивный новый мир» или «Образ надвигающегося мира». Если искать среди современников Уэллса писателя, который мог бы явиться в отношении его необходимым коррективом, следует упомянуть Киплинга, отнюдь не безразличного к понятиям силы и воинской «славы». Киплинг понял бы, чем притягивает Гитлер или, раз на то пошло, Сталин, хотя трудно сказать, как бы он к ним отнесся. А Уэллс слишком благоразумен, чтобы постичь

Джордж Оруэлл

современный мир. Серия романов о нижнем слое среднего класса — они его высшее достижение — прекратилась с началом той первой войны и уже не была возобновлена, а с 1920 года Уэллс растрачивает свой талант, сражая бумажных драконов. Но как это прекрасно, когда есть что растрачивать!

Август 1941 г.

Заметки о национализме

Байрон где-то употребляет французское слово *longueur** и замечает мимоходом, что хотя в Англии у нас слова для этого нет, но обозначаемое им имеется в избытке. Подобным же образом, есть умонастроение, настолько сейчас распространенное, что влияет на наши мысли чуть ли не о каждом предмете, но все еще безымянное. В качестве ближайшего эквивалента я выбрал слово «национализм», но, как вскоре станет ясно, я употребляю его не совсем в обычном смысле — хотя бы потому, что чувства, о которых пойдет речь, не обязательно направлены на нацию, то есть на какой-то один народ и географическую область. Оно может быть связано с какой-то церковью или классом, а может и действовать всего лишь негативно, *против* чего-то, без всякой потребности в позитивном объекте.

Под национализмом я подразумеваю прежде всего привычку думать, что людей можно

---

* Здесь приблизительно: «неясное томление».

Джордж Оруэлл

классифицировать как насекомых и что к целым группам людей, численностью в миллионы и десятки миллионов, можно с уверенностью прикрепить ярлык «хорошие» или «плохие»[*]. А во-вторых — и это еще важнее, — я понимаю под ним привычку отождествлять себя с нацией или другой группой, ставя ее выше добра и зла и не признавая другого долга, кроме защиты ее интересов. Национализм не надо путать с патриотизмом. Оба слова употребляются настолько свободно, что любое определение будет спорным, однако между ними надо проводить различие, поскольку заключены в них две разные и даже противоположные идеи. Под патриотизмом я понимаю преданность определенному месту и определенному образу жизни, который ты считаешь наилучшим, но не желаешь навязывать другим. Патриотизм по своей природе оборонителен — и в военном, и в культурном смыс-

---

[*] О нациях и даже о еще более неопределенных совокупностях, таких, как католическая церковь или пролетариат, принято думать как об индивидуумах. В любой газете встречаешь явно абсурдные высказывания типа: «Германия по природе своей вероломна». А безответственные обобщения касательно национального характера («Испанец — прирожденный аристократ» или «Все англичане — лицемеры») слышишь чуть ли не от каждого. Время от времени жизнь наглядно показывает, что эти обобщения безосновательны, но привычка к ним сохраняется, и грешат этим даже люди явно интернационалистических взглядов, например, Толстой и Бернард Шоу. (*Примеч. авт.*)

ле. Национализм же неотделим от стремления к власти. Неизменная цель всякого националиста — больше власти и больше престижа, не для себя, а для нации или иной группы, в которой он растворил свою индивидуальность.

Пока речь идет о легко опознаваемых и стяжавших дурную славу националистических движениях в Германии, Японии и других странах, все это достаточно очевидно. Столкнувшись с таким явлением, как нацизм, который мы можем наблюдать извне, почти все отзовутся о нем одинаково. Но тут я должен повторить то, что сказал выше: я использую слово «национализм» лишь за неимением лучшего. В широком смысле, как я его понимаю, национализм включает в себя такие движения и тенденции, как коммунизм, политический католицизм, сионизм, антисемитизм, троцкизм и пацифизм. Он не обязательно означает верность правительству или стране, тем более своей стране, и даже не совсем обязательно, чтобы реально существовала группа, к которой он тяготеет. Вот несколько очевидных примеров. Еврейство, ислам, христианский мир, пролетариат и белая раса — все объекты страстных националистических чувств; но в существовании их вполне можно усомниться, и ни для одного из них нет такого определения, которое устроило бы всех.

Стоит еще раз подчеркнуть, что националистическое чувство может быть чисто негативным. Есть, например, троцкисты, которые стали просто врагами СССР, но определенного объекта лояльности не имеют. Если понять вытекающие из этого следствия, природа того, что я подразумеваю под национализмом, станет гораздо яснее. Националист — это тот, кто мыслит исключительно или главным образом понятиями соперничества и престижа. Он может быть позитивным или негативным националистом — то есть может направить свою психическую энергию либо на возвышение, либо на очернение чего-то, — но в любом случае его мысли вращаются вокруг побед, поражений, триумфов и унижений. Историю, в особенности современную историю, он видит как беспрестанное возвышение или упадок каких-то могущественных сообществ, и всякое событие представляется ему доказательством того, что его сторона на подъеме, а какой-то ненавистный противник катится под уклон. Но важно не путать национализм с простым культом успеха. Националист не руководствуется принципом: примазаться к сильнейшей стороне. Наоборот, выбрав сторону, он убеждает себя, что она и есть сильнейшая, и способен держаться этого убеждения, даже когда все факты говорят об обратном. Национализм — жажда могущества, умеряемая самообманом. Каждый националист способен на самую вопиющую бесчестность, но, поскольку он сознательно служит чему-то большему себя, всегда непоколебимо уверен в своей правоте.

Эссе

Теперь, когда я дал это пространное определение, мне кажется, можно утверждать, что умонастроение, о котором идет речь, весьма распространено среди английской интеллигенции и больше среди нее, чем среди остального народа. Ибо для тех, кого волнует современная политика, некоторые темы настолько увязаны с соображениями престижа, что вполне рациональный подход к ним почти невозможен. Из сотен примеров, имеющихся в нашем распоряжении, возьмем такой вопрос: кто из трех союзников — СССР, Британия или США — сделал больше для разгрома Германии? Теоретически на него можно было бы дать обоснованный и даже бесспорный ответ. На деле, однако, необходимых выкладок сделать нельзя, ибо всякий, кто захочет поломать над этим вопросом голову, неизбежно будет рассматривать его в плане престижа. Поэтому он *сначала* решит его в пользу России, Британии или Америки и только *потом* станет подыскивать доводы, подтверждающие его мнение. И есть огромное множество подобных вопросов, на которые честный ответ можно получить лишь от того, кому вообще безразлична тема и чье мнение, по всей вероятности, ничего не будет стоить. Этим отчасти объясняется поразительная близорукость сегодняшних политических и военных предсказаний. Любопытно, что из всех «экспертов» независимо от школы не нашлось ни одного, который предвидел бы такое вероятное событие, как русско-германский

Джордж Оруэлл

пакт 1939 года*, а когда о пакте стало известно, стали даваться самые разнообразные объяснения и предсказания, чуть ли не сразу опровергавшиеся событиями, поскольку основывались они почти всякий раз не на исследовании вероятностей, а на желании представить СССР хорошим или плохим, сильным или слабым. Политические и военные комментаторы, подобно астрологам, могут пережить без ущерба для себя любую ошибку, потому что их верные поклонники ждут от них не оценки фактов, а подогрева своих националистических чувств**, и эсте-

---

* Некоторые авторы консервативного направления, такие как Питер Дракер, предсказывали соглашение между Германией и Россией, но ожидали настоящего долговременного союза или слияния. Ни марксисты, ни другие левые писатели какой бы то ни было окраски даже не задумались о возможности такого пакта. *(Примеч. авт.)*

** Военных комментаторов в популярной прессе можно подразделить на пророссийских и антироссийских, поклонников старозаветной английской военщины и противников. Такие ошибки, как вера в непреодолимость линии Мажино, или предсказание, что Россия завоюет Германию за три месяца, не поколебали их репутации, ибо эти люди всегда говорят то, что хочет услышать их аудитория. Два военных критика, наиболее ценимых интеллигенцией, — капитан Лиддел Гарт и генерал-майор Фуллер; первый учит, что оборона сильнее наступления, второй — что наступление сильнее обороны. Это противоречие не помешало им обоим считаться признанными теоретиками у одной и той же публики. Истинная причина моды на них в левых кругах — та, что оба не в ладах с военным министерством. *(Примеч. авт.)*

Эссе

тические суждения, особенно литературные суждения, часто бывают искажены так же, как политические. Индийскому националисту трудно получать удовольствие от Киплинга, а консерватору — разглядеть достоинства в Маяковском: всегда есть искушение сказать, что книга, чье направление тебе не нравится, должна быть плохой в литературном отношении. Люди с националистическим мировоззрением часто совершают эту подтасовку, не сознавая своей нечестности.

В Англии, если брать в чисто количественном отношении, преобладающей формой национализма, вероятно, будет старорежимный британский джингоизм. Он, безусловно, еще распространен и гораздо шире распространен, чем полагало большинство наблюдателей лет десять назад. Однако в этой статье меня занимают главным образом реакции интеллигентов, среди которых джингоизм и даже патриотизм старого закала почти умерли, хотя сейчас, кажется, возрождаются у меньшинства. Среди интеллигенции (об этом, наверное, излишне говорить) преобладающей формой национализма является коммунизм — если использовать это слово в очень широком смысле, подразумевая под ним не только членов коммунистической партии, но и «попутчиков», и русофилов вообще. Коммунистом я буду называть здесь того, кто видит в СССР свое Отечество и считает своим долгом

Джордж Оруэлл

оправдывать русскую политику и любой ценой отстаивать интересы России. Сегодня таких людей в Англии множество, их прямое и косвенное влияние очень сильно, но процветают и другие формы национализма, и, отмечая их общие черты, при всем несходстве и даже видимой противоположности разных течений мысли, мы лучше всего увидим проблему в целом.

Десять или двадцать лет назад формой национализма, наиболее соответствующей сегодняшнему коммунизму, был политический католицизм. Самым выдающимся его представителем — хотя это скорее крайний случай, чем типичный, — был Г. К. Честертон. Честертон, писатель незаурядного таланта, принес свое эстетическое чувство и свою интеллектуальную честность в жертву пропаганде католичества. В последние двадцать лет жизни все им написанное было, по существу, бесконечным повторением одной и той же мысли, под вымученной элегантностью простой и унылой, как «Велика Диана Ефесская». Каждая книжка, каждый абзац, каждая фраза, каждое происшествие в каждом рассказе, каждый обрывок диалога должен был недвусмысленно продемонстрировать превосходство католика над протестантом или язычником. Но Честертону мало было превосходства только интеллектуального или духовного: его надо было перевести на язык национального престижа и военной мощи, результатом чего явилась невежественная идеализация латинских стран, особенно Франции. Во Франции Честертон жил недолго, и изображаемая им картина страны, где католические крестьяне беспрестанно поют «Марсельезу», сидя за красным вином, имеет такое же отношение к действительности, как «Чу Чин Чао»* — к повседневной жизни Багдада. И сопутствует этому не только колоссальная переоценка французской военной мощи (и до, и после Первой мировой войны он утверждал, что Франция сильнее Германии), но и глупое, пошлое восхваление самого процесса войны. По сравнению с его военными стихотворениями, такими как «Лепанто» или «Баллада о святой Барбаре», «Атака легкой бригады» выглядит как пацифистский трактат: это, наверное, самые безвкусные образчики ходульности из всего, что написано на нашем языке. И вот что интересно: если бы эта романтическая чепуха, которую он обычно писал о Франции и французской армии, была написана кем-то о Британии и британской армии, он первый высмеял бы ее. Во внутренней политике он был сторонником «малой Англии», настоящим врагом джингоизма и империализма и, в своем понимании, другом демократии. Но стоило ему выглянуть во внешний мир, он забывал свои принципы, даже не замечая этого.

---

* Мюзикл 1916 г. по мотивам «Али-бабы и сорока разбойников».

Джордж Оруэлл

Так, его почти мистическая вера в достоинство демократии не мешала ему восхищаться Муссолини. Муссолини уничтожил представительную власть и свободу слова, за которую Честертон так упорно сражался дома, но Муссолини был итальянец, он сделал Италию сильной, и это решало дело. Ни одного плохого слова не сказал Честертон о покорении итальянцами и французами цветных народов, об их империализме. Чувство реальности, литературный вкус и даже в какой-то степени нравственное чувство тут же отказывали ему, как только в игру вступал его национализм. Очевидно, что есть существенное сходство между политическим католицизмом, ярким представителем которого был Честертон, и коммунизмом. А также между ними и, например, шотландским национализмом, сионизмом, антисемитизмом или троцкизмом. Сказать, что все формы национализма одинаковы, даже по духу, было бы чрезмерным упрощением, но есть черты, для всех них общие. Вот главные характеристики националистического мышления.

Одержимость. Насколько это вообще возможно, националист не думает, не говорит, не пишет ни о чем, кроме как о превосходстве своей группы. Для любого националиста трудно и даже невозможно скрыть свою ангажированность. Малейшее неуважение к его группе или подразумеваемая похвала соперничающей организации вызывают у него беспокойство, освободиться от которого он может, только дав резкую отповедь. Если объект его чувств — страна, например, Ирландия или Индия, он будет настаивать на ее превосходстве не только в военной силе и политическом устройстве, но и в искусстве, литературе, спорте, строении языка, физической красоте ее обитателей и, может быть, даже в климате, ландшафтах и кухне. Он весьма чувствителен к таким вещам, как правильное вывешивание флагов, относительный размер заголовков и порядок наименования стран[*]. В националистической мысли всякого рода наименования играют очень важную роль. Страны, завоевавшие независимость или пережившие националистическую революцию, обычно меняют свое название, и всякая страна или иное объединение, являющееся объектом сильных чувств, скорее всего будут иметь несколько названий, нагруженных разными смыслами. У двух сторон в гражданской войне в Испании было девять или десять названий, выражающих разные степени любви и ненависти. Некоторые из этих названий («патриоты» у сторонников Франко или «лоялисты» у сторонников правительства) явно были сомнительными, и ни одно из них обе враждующие стороны не устраивало. Все националисты считают своим долгом распространять свой язык в противовес языкам «сопер-

---

[*] Некоторые американцы выражали недовольство принятым сочетанием «англо-американский», предлагали заменить его на «американо-британский». (*Примеч. авт.*)

Джордж Оруэлл

ников»; среди англоязычных эта борьба выливается в более тонкие формы — в соперничество диалектов. Американец-англофоб не употребит жаргонной фразы, если знает, что она британского происхождения, а за конфликтом «латинизаторов» и «германизаторов» часто кроются националистические мотивы. Шотландские националисты доказывают превосходство жителей низменной Шотландии, а социалистов, чей национализм принял форму классовой ненависти, бесит произношение дикторов Би-би-си и даже открытое «а». Примеры можно множить. Часто кажется, что мышление националистов окрашено верой в симпатическую магию — проявляется это в распространенном обычае сжигать чучело политических врагов или использовать их изображения как мишени в тирах.

Неустойчивость. Напряженность националистических чувств не препятствует их переносу. Как я уже говорил, они могут быть и часто бывают направлены на какую-нибудь зарубежную страну. Это вполне обычное дело, что великие национальные лидеры или основатели националистических движений не уроженцы страны, которую они прославили. Иногда они просто иностранцы, но чаще являются с периферии, где национальность сомнительна. Примеры — Сталин, Гитлер, Наполеон, Де Валера, Дизраэли, Пуанкаре, Бивербрук. Пангерманизм — отчасти создание англичанина, Хаустона Чемберлена*. В последние 50—100 лет перенесенный национализм был обычным явлением среди литераторов. Для Лавкадио Сёрна центром притяжения была Япония**, для Карлейля и многих его современников — Германия, а в наше время это обычно Россия. Но любопытно, что возможен и обратный перенос. Страна или иная группа, которую боготворили годами, внезапно может стать отвратительной, и ее место чуть ли не мгновенно может занять другой объект любви. В первом варианте «Очерка истории» и других работах того времени Г. Дж. Уэллс восхваляет Соединенные Штаты почти так же неумеренно, как коммунисты в наши дни — Россию; но через несколько лет это безграничное восхищение сменилось враждебностью. Фанатичный коммунист, за несколько недель или даже дней превратившийся в столь же фанатичного троцкиста, — обычное явление. В континентальной Европе фашистское движение сильно пополнялось коммунистами, но в ближайшие несколько лет процесс может смениться на обратный. Постоянным у националиста остается лишь состояние ума: объект привязанности меняется и может быть воображаемым.

---

* Хаустон (Хьюстон) Чемберлен (1855—1927) — англичанин, немецкий писатель. Один из первых нацистских расовых теоретиков.

** Лавкадио Сёрн (1850—1904) — английский писатель и журналист греко-ирландского происхождения, натурализовался в Японии.

Джордж Оруэлл

А у интеллектуала перенос выполняет важную функцию, о которой я кратко упомянул в связи с Честертоном. Перенос позволяет ему быть гораздо большим националистом — более вульгарным, более глупым, более злобным, более нечестным, — чем если бы объектом была родная страна или объединение, которое человек знает по-настоящему. Когда видишь раболепную или хвастливую чепуху, написанную довольно умными и чувствительными людьми, о Сталине, Красной армии и т. д., становится ясно, что в сознании произошел какой-то вывих. В обществах, подобных нашему, не часто бывает, чтобы человек, имеющий право называться интеллектуалом, испытывал очень сильную привязанность к своей стране. Ему не позволит этого общественное мнение — то есть та часть общественного мнения, к которой он как интеллектуал восприимчив. Его окружение в большинстве своем недовольно и настроено скептически, и он может усвоить это отношение из подражательности или чистой трусости; в этом случае он избегнет рядом лежащей формы национализма, ничуть не приблизившись к подлинно интернационалистскому мировоззрению. Он все равно ощущает потребность в Отечестве и, естественно, обращает взгляд за границу. Обретя искомое, он может необузданно предаваться тем самым чувствам, от которых, ему кажется, он освободился. Бог, король, империя, Юнион Джек — все свергнутые идолы восстанут вновь в другом обличье, и он, поскольку не признал их за таковых, может поклоняться им с чистой совестью. Перенесенный национализм, так же, как маневр с козлом отпущения, — это способ обрести спасение, не меняя дурных привычек.

Безразличие к реальности. Все националисты обладают способностью не видеть сходства между аналогичными рядами фактов. Британский тори будет защищать самоопределение в Европе и противиться самоопределению Индии, не осознавая своей непоследовательности. Действия оцениваются как хорошие или плохие не в соответствии с их характером, а соответственно тому, кто их осуществляет, и, наверное, нет такого безобразия — пытки, взятие заложников, принудительный труд, массовые депортации, тюремное заключение без суда, фальсификации, убийства, бомбардировка гражданского населения, — которое не меняло бы своего морального знака, будучи совершено «нашими». Либеральная «Ньюс кроникл» опубликовала как пример неслыханного варварства фотографии повешенных немцами русских, а спустя год или два — с горячим одобрением — почти такие же фотографии немцев, повешенных русскими*.

---

* «Ньюс кроникл» советовала читателям посмотреть кинохронику, где казнь была заснята полностью, крупным планом. «Стар», также с одобрением, напечатала фотографии почти голых коллаборационисток, преследуемых парижской толпой. Эти фотографии весьма напоминали нацистские фотографии евреев, над которыми издевалась берлинская толпа. *(Примеч. авт.)*

Джордж Оруэлл

То же самое с историческими событиями. Историю часто оценивают с националистических позиций: инквизиция, пытки, Звездная палата, дела английских пиратов (сэр Фрэнсис Дрейк, например, любил топить испанских пленников), якобинский террор, сотни сипаев, расстрелянных из пушек после восстания, солдаты Кромвеля, резавшие лица ирландкам бритвами, — все это морально не квалифицировалось или даже считалось похвальным, когда служило «правому» делу. Если вспомнить прошедшую четверть столетия, окажется, что не проходило и года без того, чтобы из какой-нибудь части света не сообщали о зверствах. Однако ни в одном случае — будь то зверства в Испании, России, Китае, Венгрии, Мексике, Амритсаре или в Смирне — английская интеллигенция в целом не поверила в эти зверства и не осудила их. Достойны ли они осуждения, да и вообще, совершались ли — всегда решалось в соответствии с политическими пристрастиями.

Националист не только не осуждает зверств, совершенных его стороной, — он обладает замечательной способностью даже не слышать о них. Целых шесть лет английские поклонники Гитлера умудрялись не знать о существовании Дахау и Бухенвальда, а те, кто громче всех возмущается немецкими концлагерями, совсем не знают или почти ничего не знают о концлагерях в России. Колоссальные события вроде голода на Украине в 1933 году, унесшего миллионы жизней, ускользнули от внимания большинства английских русофилов. Многие англичане почти ничего не слышали об истреблении немецких и польских евреев во время нынешней войны. Из-за их собственного антисемитизма известия об этом ужасном преступлении отскакивают от их сознания. Для националистического сознания есть факты, одновременно истинные и ложные, известные и неизвестные. Известный факт может быть настолько невыносим, что его отодвигают от себя, не включают в логические процессы или же, наоборот, он может учитываться в каждом расчете, но фактом при этом не признаваться, даже когда человек остается наедине с собой.

Каждый националист живет с убеждением, что прошлое можно изменить. Часть времени он проводит в мире фантазий, где все происходит как должно, — где, например, Великая армада достигает цели, а русская революция подавлена в 1918 году, — и фрагменты этого мира он при всякой возможности переносит в книги по истории. Большая часть пропагандистских писаний в наше время — чистый подлог. Физические факты утаиваются, даты изменяются, цитаты изымаются из контекста и препарируются так, что меняют смысл. События, которым не надо было бы произойти,

Джордж Оруэлл

не упоминаются и в конечном счете отрицаются*. В 1927 году Чан Кайши живьем сварил сотни коммунистов, а через десять лет стал у левых героем. Из-за перегруппировки в мировой политике он оказался в стане антифашистов, и решено поэтому, что варка коммунистов «не в счет» — или ее вообще не было. Первая цель пропаганды, конечно, — повлиять на мнение современников, но те, кто переписывает историю, вероятно, отчасти верят, что действительно вводят в прошлое факты. Когда присмотришься к старательно изготовленным подлогам, цель которых доказать, что Троцкий не играл важной роли в Гражданской войне, трудно представить себе, что авторы просто лгут. Скорее всего им кажется, что их версия и есть то, что видел сверху Бог, и они вправе отредактировать документы соответственно.

Равнодушию к объективной истине способствует разгороженность мира, из-за которой все труднее и труднее становится выяснить, что было на самом деле. Самые масштабные события — и те зачастую вызывают сомнения. Например, невозможно подсчитать с точностью до миллионов или даже десятков миллионов

---

* Пример — русско-германский пакт, который стирают из сознания публики со всей возможной быстротой. Русский корреспондент сообщает мне, что пакт уже не упоминается в русских ежегодниках со сводками последних политических событий. (*Примеч. авт.*)

число погибших в нынешней войне. Бедствия, о которых сообщают то и дело — сражение, резня, голод, революция, — вызывают у обывателя ощущение нереальности. Нет возможности проверить факты, человек даже не вполне уверен, что они имели место, и разные источники всегда предлагают ему совершенно разные истолкования. Что было правильного и неправильного в варшавском восстании в августе 1944 года? Правду ли говорят о немецких газовых камерах в Польше? Кто был виновником голода в Бенгалии? Правду, вероятно, можно установить, но почти все газеты подавали факты так нечестно, что обыкновенному читателю можно простить и веру в вымыслы, и неспособность вообще составить какое-то мнение. Достоверной картины того, что происходит на самом деле, нет, и от этого легче держаться безумных убеждений. Поскольку ничто окончательно не доказано и не опровергнуто, самый несомненный факт можно бесстыдно отрицать. Кроме того, без конца размышляя о силе, победе, поражении, мести, националист зачастую не очень-то интересуется тем, что происходит в реальном мире. Нужно ему другое — ощущение, что его группа одерживает верх над какой-то другой, а ощутить это легче, срезав оппонента, нежели изучая факты, дабы выяснить, подтверждают ли они твою правоту. Вся националистическая полемика ведется на уровне

Джордж Оруэлл

клубных дискуссий. Она не приводит ни к какому результату, поскольку каждый диспутант неизменно считает себя победителем. Некоторые националисты недалеки от шизофрении — они живут в блаженных грезах о могуществе и завоеваниях, в полном отрыве от реального мира.

Я описал, как мог, склад ума, характерный для всех форм национализма. Теперь надо классифицировать эти формы, хотя исчерпывающей классификации дать нельзя. Национализм — необъятная тема.

Человечество страдает бесчисленными иллюзиями и ненавистями, которые переплетаются самым сложным образом, причем некоторые из самых зловещих еще не внедрились в европейское сознание. В этой статье меня занимает тот национализм, который встречается среди английской интеллигенции. У нее гораздо чаще, чем у простых англичан, он существует без примеси патриотизма, и потому его можно изучать в чистом виде. Ниже перечислены с необходимыми пояснениями разновидности национализма, распространенные сегодня среди английской интеллигенции. Их удобнее разделить на три категории: позитивный, перенесенный и негативный национализм, хотя некоторые разновидности не подпадают ни под одну категорию.

Позитивный национализм

1. Неоторизм. Он представлен такими людьми, как лорд Элтон, А. П. Герберт, Дж. М. Янг*, профессор Пикторн, а также литературой Комитета тори за реформы и журналами «Нью инглиш ревью», «Найнтинс сенчури энд афтер». Подлинной движущей силой неоторизма, придающей ему националистический характер и отличающей его от обычного консерватизма, является нежелание признать, что британская мощь и влияние уменьшились. Даже те, у кого хватает трезвости понять, что военное положение Британии теперь не такое, как прежде, утверждают порой, что в мире должны господствовать «английские идеи» (не давая им обычно определения). Все неотори настроены против России, но иногда главный упор делается на антиамериканизме. Знаменательно в этом течении то, что оно приобретает популярность среди более молодых интеллектуалов, иногда бывших коммунистов, переживших обычную утрату иллюзий и потому разочаровавшихся в этом учении. Англофоб, внезапно превратившийся в яростного пробританца, — довольно обычная фигура. Это можно было наблюдать на Ф. Войте, Малколме Маггеридже, Ивлине Во, Хью Кингсмилле**; по-

---

* Г о д ф р и Э л т о н (1892—1973) — английский биограф и поэт. Д ж о р д ж М а л к о л м Я н г (1882—1959) — английский политолог.

** Х ь ю К и н г с м и л л (1889—1949) — английский романист, биограф, критик.

добную психологическую эволюцию переживали Т.С. Элиот, Уиндем Льюис и разные их последователи.

2. Кельтский национализм. Валлийский, ирландский и шотландский национализм кое в чем отличаются, но их роднит антианглийская ориентация. Участники этих трех движений были против войны, в то же время характеризуя себя как сторонников России, а наиболее оголтелые умудрялись быть одновременно и русофилами, и пронацистами. Но кельтский национализм не тождествен англофобии. Он движим верой в прошлое и будущее величие кельтских народов и сильно отдает расизмом. Считается, что кельт духовно превосходит англосакса — он непосредственнее, больше одарен творчески, менее вульгарен, меньший сноб и т. д., — но под этим все та же жажда могущества. Один из ее симптомов — иллюзия, будто Эйре, Шотландия и даже Уэльс могли бы сохранить независимость без посторонней помощи и ничем не обязаны британской защите. Типичные писатели этого направления — Хью Макдайармид и Шон О'Кейси. Ни один современный ирландский писатель, даже такого калибра, как Йейтс или Джойс, не вполне свободен от националистических настроений.

3. Сионизм. Он обладает всеми обычными чертами националистического движения, но американский вариант его кажется более горячим и зловредным, чем британский. Я отношу его к прямому, а не к перенесенному национализму потому, что он распространен почти исключительно среди самих евреев. В Англии по нескольким весьма разнородным причинам интеллигенция в палестинском вопросе большей частью поддерживает евреев, хотя и не слишком горячо. В Англии все люди доброй воли настроены проеврейски в том смысле, что осуждают нацистские гонения. Но настоящий еврейский национализм или вера в природное превосходство евреев у людей нееврейской национальности едва ли встречаются.

Перенесенный национализм

1. Коммунизм.

2. Политический католицизм.

3. Расовые предрассудки.

Презрительное отношение к «туземцам» в Англии по большей части забыто, и разные псевдонаучные теории, настаивавшие на превосходстве белой расы, хождения не имеют*. Сре-

---

* Хороший пример — предрассудок касательно солнечного удара. До последнего времени считалось, что белые более подвержены солнечному удару, чем цветные, и что белому небезопасно ходить под южным солнцем без тропического шлема. Никаких свидетельств в пользу этой теории нет, но она подчеркивала разницу между «туземцами» и европейцами. В ходе нынешней войны теорию благополучно забыли, и целые армии передвигаются без тропических шлемов. Пока этот предрассудок существовал, английские врачи в Индии верили в него так же твердо, как все прочие. *(Примеч. авт.)*

ди интеллигенции этот предрассудок существует только с обратным знаком — как вера в превосходство цветных рас. У английских интеллектуалов он встречается все чаще — и объясняется скорее мазохизмом и сексуальными разочарованиями, чем контактами с восточными и негритянскими националистическими движениями. Но даже у тех, кого вопрос цвета кожи не сильно волнует, большую роль играет снобизм и подражательство. Чуть ли не каждый английский интеллектуал будет шокирован утверждением, что белая раса превосходит цветные, зато в противоположном утверждении он не усмотрит ничего возмутительного, даже если с ним не согласен. Националистической привязанности к цветным расам обычно сопутствует представление, будто у них богаче сексуальная жизнь, и существует целая негласная мифология насчет сексуальной одаренности негров.

4. Классовое чувство. Среди интеллектуалов из среднего и высшего класса встречается только в форме перенесенного — то есть как вера в превосходство пролетариата. И здесь на интеллигенцию сильнейшим образом влияет общественное мнение. Националистическая преданность пролетариату и самая жгучая теоретическая ненависть к буржуазии часто совмещаются с обычным снобизмом в повседневной жизни.

5. Пацифизм. Большинство пацифистов либо принадлежат к малозначительным религиозным сектам, либо это просто гуманисты, которые возражают против того, чтобы людей лишали жизни, и дальше этой мысли не идут. Но среди пацифистов-интеллектуалов есть меньшинство, у которого в подоплеке пацифизма — ненависть к западной демократии и преклонение перед тоталитаризмом. Пацифистская пропаганда обычно сводится к тезису, что одна сторона ничем не лучше другой, но если присмотреться к писаниям более молодых пацифистов, оказывается, что они не беспристрастны в осуждении обеих систем, а настроены против Британии и Соединенных Штатов. Больше того, как правило, они не осуждают насилие как таковое, а только насилие, используемое для обороны западных стран. Русских в отличие от британцев не винят за то, что они защищаются военными средствами, да и вообще пацифистская пропаганда этого толка избегает упоминания о России и Китае. Опять-таки, не говорится, что индийцы должны отказаться от насилия в своей борьбе с британцами. Пацифистская литература изобилует туманными заявлениями, в которых если и есть какой-то смысл, то только тот, что государственные деятели, подобные Гитлеру, предпочтительнее таких, как Черчилль, а насилие, пожалуй, извинительно, если оно достаточно жестокое. После падения Франции французские пацифисты, очутившись перед выбором, которого их английским единоверцам удалось из-

Джордж Оруэлл

бежать, по большей части перешли к нацистам, а в Англии некоторое количество людей состояло одновременно в Союзе обета мира и в Британском союзе фашистов. Пацифистские авторы восхваляли Карлейля, одного из интеллектуальных родоначальников фашизма. В целом трудно отделаться от мысли, что в основе пацифизма, присущего определенной части интеллигенции, лежит преклонение перед силой и победительной жестокостью. Ошибкой было сфокусировать эту эмоцию на Гитлере, но всегда можно переориентироваться.

Негативный национализм

1. Англофобия. Среди интеллигенции презрительное и слегка враждебное отношение к Британии более или менее обязательно, но во многих случаях это и потребность души. Во время войны это проявилось в пораженческих настроениях интеллигенции, сохранявшихся и тогда, когда давно было ясно, что державы оси победить не могут. Многие откровенно радовались, когда пал Сингапур или когда британцев вытеснили из Греции; удивляло нежелание верить хорошим известиям — например, об Эль-Аламейне или о числе немецких самолетов, уничтоженных в битве над Англией. Конечно, английские левые интеллектуалы не хотели, чтобы войну выиграла Германия или Япония, но многие испытывали некоторое удовольствие при виде унижения своей страны и хотели бы думать, что окончательная победа одержана благодаря России или, скажем, Америке, а не Британии. В международной политике многие интеллигенты руководствуются принципом, что любая группировка, поддерживаемая Британией, заведомо не права. В результате «просвещенное» мнение в большой своей части оказывается зеркальным отражением консервативной политики. Англофобия всегда может обернуться своей противоположностью; отсюда — довольно обычное перевоплощение: противник одной войны становится поборником следующей.

2. Антисемитизм. Сейчас он мало заметен, потому что нацистские преследования заставляют каждого мыслящего человека занять сторону евреев. Всякий более или менее образованный человек, слышавший слово «антисемитизм», утверждает, что непричастен к нему, а в литературу всякого рода антиеврейские высказывания стараются не пропустить. На самом деле антисемитизм, по-видимому, распространен даже среди интеллигенции, и всеобщий заговор молчания, вероятно, его обостряет. Ему подвержены и люди левых убеждений; на их позиции сказывается то, что троцкисты и анархисты — чаще всего евреи. Но более склонны к антисемитизму люди консервативных взглядов, подозревающие евреев в том, что они ослабляют моральный дух нации и разжижают ее культуру. Всегда готовы впасть в антисемитизм — по крайней мере на какое-то время — неотори и политизированные католики.

3. Троцкизм. Этот термин употребляется расширенно, так что под него подпадают анархисты, социал-демократы и даже либералы. Я же обозначаю им здесь марксиста-доктринера, движимого в основном враждебностью к сталинскому режиму. С троцкизмом лучше знакомиться по малоупотребительным брошюрам или газетам вроде «Соушалист апил», чем по работам самого Троцкого, который отнюдь не был человеком одной идеи. Хотя в некоторых странах, например, в США, троцкизм способен привлечь изрядное количество последователей и превратиться в организованное движение со своим мелким фюрером, вдохновляющая идея его — по существу, отрицательная. Троцкист против Сталина так же, как коммунист — за него, и, подобно большинству коммунистов, он хочет не столько изменить внешний мир, сколько чувствовать, что сражение за престиж развивается в его пользу. В обоих случаях имеет место одинаковая фиксация на единственном предмете, одинаковая неспособность сформировать вполне рациональное мнение, основанное на фактах. Из-за того, что троцкисты повсюду — преследуемое меньшинство, и обычное обвинение против них — в сотрудничестве с фашистами — вполне ложно, создается впечатление, будто троцкизм интеллектуально и морально стоит выше коммунизма; но большую разницу между ними увидеть трудно. Типичные троцкисты в любом случае — бывшие коммунисты и к троцкизму не приходят иначе, как через одно из левых движений. Ни один коммунист, если он не привязан к партии многолетней привычкой, не застрахован от внезапного впадения в троцкизм. Обратный процесс наблюдается не так часто, хотя определенного объяснения этому нет.

Из приведенной классификации видно, что во многих случаях я преувеличивал, чрезмерно упрощал вопрос, делал необоснованные допущения и вовсе игнорировал существование обыкновенных, приличных мотивов. Это было неизбежно, потому что в данной статье я пытаюсь выделить и обозначить тенденции, которые существуют в нашем сознании и извращают наше мышление, хотя не обязательно проявляются в чистом виде и действуют непрерывно. Теперь пора подправить эту по необходимости упрощенную картину. Прежде всего мы не имеем права предполагать, что *каждый* — или хотя бы каждый интеллектуал — заражен национализмом. Во-вторых, национализм может быть ограниченным и непостоянным. Мыслящий человек может наполовину уверовать в привлекательную идею, понимая при этом ее абсурдность, и может надолго выбрасывать ее из головы, возвращаясь к ней только под влиянием гнева или сентиментальности, — или же будучи уверен, что в эту минуту не затронут серьезный вопрос. В-третьих, к националистической идее можно прийти чистосердечно, из ненационалистических побуждений. В-четвертых, в одном человеке могут сосуществовать несколько видов национализма, даже взаимоисключающих.

Я все время говорил: «националист делает то», «националист делает это», используя для иллюстрации крайний, едва ли вменяемый тип националиста, у которого нет нейтральный зон в сознании и нет интереса к чему-либо, кроме борьбы за власть. На самом деле таких людей сколько угодно, но на них не стоило бы тратить порох. В жизни с лордом Элтоном, Д. Н. Приттом, с леди Хаустон, Эзрой Паундом, лордом Ванситтартом, отцом Коглином* и всем их умытым племенем надо бороться, но останавливаться на их умственных изъянах едва ли стоит. Мономания неинтересна, и то, что ни один националист фанатичного склада не способен написать книжку, которую стоило бы прочесть через несколько лет, само по себе производит определенный дезодорирующий эффект. Даже признав, что национализм восторжествовал не

_____
* Роберт Ванситтарт (1881—1957) — английский дипломат и писатель. Чарльз Коглин (1891—1979) — американский католический священник, радиопроповедник, издатель.

Эссе

везде, что еще есть люди, чьи суждения не вполне подвластны страстям, мы никуда не уйдем от того факта, что важнейшие проблемы: Индия, Польша, Палестина, гражданская война в Испании, московские процессы, американские негры, русско-германский пакт — какую ни возьми — невозможно обсуждать (по крайней мере никогда не обсуждают) на уровне разума. Элтоны, Притты и Коглины, каждый из них — просто огромный рот, снова и снова изрыгающий одну и ту же ложь, и это, очевидно, — крайние случаи, но мы обманываем себя, если не осознаем, что можем стать похожими на них, когда теряем над собой контроль. Прозвучит не та нота, наступят на тот или иной мозоль, а мозоль может оказаться таким, о существовании которого до сих пор не подозревали, — и самый здравомыслящий, добродушный человек может превратиться в неистового фанатика, одержимого одним желанием — победить оппонента, — и безразличного к тому, сколько он будет при этом лгать и сколько совершит логических ошибок. Когда Ллойд Джордж, противник бурской войны, объявил в палате общин, что если сложить британские сводки, то буров убито больше, чем жило в стране, Артур Бальфур вскочил с криком: «Невежа!» Очень немногие застрахованы от подобных оплошностей. Негр, униженный белой женщиной, англичанин, в чьем присутствии американец поносит Англию, апологет католичества, которому напомнили о Великой армаде, отреагируют примерно таким же образом. Стоит задеть националистический нерв, и куда-то деваются интеллектуальные приличия, меняется прошлое, отрицаются самые очевидные факты.

Если где-то в сознании сидит националистическая привязанность или ненависть, заведомо истинные факты могут стать неприемлемыми. Вот несколько примеров. Я перечислю пять типов националистов и против каждого поставлю факт, которого этот националист признать не может, даже втайне:

Британский тори. После этой войны могущество и престиж Британии уменьшатся.

Коммунист. Если бы не помощь Британии и Америки, Германия победила бы Россию.

Ирландский националист. Эйре может сохранять независимость только благодаря британской защите.

Троцкист. Сталинский режим устраивает русских.

Пацифист. Тот, кто «отказывается» от насилия, имеет такую возможность только потому, что другие совершают насилие ради него.

Все эти факты совершенно очевидны, пока в игру не вступают эмоции: но для названных персонажей они *непереносимы,* поэтому их надо отрицать и на отрицании строить ложные теории. Вернусь к поразительной беспомощности военных предсказаний в этой войне. Думаю, правильно будет сказать, что интеллигенция хуже оценивала ход военных действий, чем простой народ, и больше руководствовалась пристрастиями. Левые интеллигенты в массе своей верили, например, в 1940 году, что война проиграна, в 1942-м — что немцы захватят Египет, что японцев никогда не прогонят с захваченных территорий, что англо-американские бомбардировки не производят впечатления на немцев. Верили они в это потому, что ненависть к британскому правящему классу не позволяла им поверить в осуществимость британских планов. Нет такой глупости, в которую не уверовал бы человек под влиянием подобных эмоций. Например, мне сообщали по секрету, что американские войска прибыли в Европу не для того, чтобы сражаться с немцами, а для того, чтобы подавить английскую революцию. Чтобы поверить в нечто подобное, надо быть интеллектуалом: простой человек не может быть таким дураком. Когда Гитлер вторгся в Россию, чиновники министерства информации «в порядке справки» выдали предупреждение, что Россия может рухнуть через шесть недель. С другой стороны, коммунисты рассматривали каждую фазу войны как русскую победу, даже когда русские отступили почти к Каспийскому морю и потеряли несколько миллионов пленными. Нет нужды множить примеры. Суть в том, что как

Джордж Оруэлл

только в игру вступают страх, ненависть, зависть и культ силы, сразу отказывает чувство реальности. И, как я уже говорил, утрачиваются представления о праведном и неправедном. Нет такого преступления — то есть вообще нет, — которое не прощалось бы, если его совершают «наши». Даже если это преступление нельзя отрицать, даже если известно, что точно такое же осуждалось в каком-то другом случае, даже если ум говорит, что оно не оправдано, — *чувство* не признает его неправедным. Когда говорит приверженность, жалость молчит.

Причины роста и распространения национализма — слишком обширный вопрос, и здесь не место его рассматривать. Достаточно сказать, что в тех формах, в каких он проявляется у английской интеллигенции, это — прямое отражение ужасных битв, происходящих во внешнем мире, и что причиной худших его безумств стал упадок патриотизма и религиозной веры. Если развивать эту мысль дальше, есть опасность дойти до некоего консерватизма или до политического квиетизма. Например, можно утверждать, и, по всей вероятности, даже справедливо, что патриотизм — прививка против национализма, что монархия предохраняет от диктатуры, а организованная религия — от суеверий. Или же можно доказывать, что непредвзятого взгляда на жизнь не бывает, что все верования и политические устремления одинаково чреваты ложью, глупостями и варварством, и это часто используется как довод против любого участия в политике. Я не принимаю этот довод хотя бы потому, что в современном мире ни один человек, причисляемый к интеллигентам, не может быть вне политики — в том смысле, что не может быть к ней безразличен. Я думаю, что в политике надо участвовать — понимая ее в широком смысле — и что предпочтения надо иметь: то есть надо осознавать, что одни цели объективно лучше других, даже если они достигаются такими же плохими средствами. Что же касается националистических пристрастий и ненавистей, то, нравится нам это или нет, большинство из нас от них не свободны. Можно ли избавиться от них, я не знаю, но уверен, что бороться с ними можно и что требуется тут, в сущности, *нравственное* усилие. Необходимо прежде всего разобраться в себе, разобраться в своих чувствах, а затем учитывать неизбежную свою предвзятость. Если вы ненавидите Россию и боитесь ее, если вы завидуете богатству и мощи Америки, если вы презираете евреев, если ощущаете свою неполноценность, сравнивая себя с британским правящим классом, вы не избавитесь от этих чувств просто путем размышлений. Но по крайней мере вы можете отдать себе в них отчет и не допустить, чтобы они искажали ваши мыслительные процессы. Эмоциональные побуждения, которые неизбежны и, наверное, даже необходимы

Джордж Оруэлл

для политического действия, не должны препятствовать восприятию действительности. Но для этого, повторяю, требуется нравственное усилие, а современная английская литература, в той мере, в какой она откликается на главнейшие проблемы нашего времени, показывает, как мало среди нас людей, готовых его сделать.

Май 1945 г.

Рецензия на книгу Юджина Лайонса «Командировка в утопию»

Чтобы понять всю меру нашей неосведомленности относительно того, что на самом деле происходит в СССР, попробуем перевести на язык английских реалий самое сенсационное российское событие последних двух лет — троцкистские процессы. Введем необходимые поправки, поменяем местами правых и левых и получим примерно следующее.

Мистер Уинстон Черчилль, высланный в Португалию, лелеет планы разрушения Британской империи и установления в Англии коммунистического строя. Пользуясь неограниченной денежной поддержкой русских, он сумел построить разветвленную черчеллистскую организацию, в которую входят члены парламента, директора фабрик, католические епископы и практически вся «Лига подснежника»*. Почти ежедневно вскрываются чудовищные акты

---

* Primrose League — политическая организация консерваторов.

234   *Джордж Оруэлл*

вредительства — то подготовка к взрыву палаты лордов, то заражение ящуром королевских конюшен. Восемьдесят процентов стражников Тауэра разоблачены как агенты Коминтерна. Один из руководителей министерства почт нагло признался в хищении почтовых переводов на сумму в 5 миллионов фунтов, а также в оскорблении его величества путем подрисовывания на почтовых марках усов. В ходе семичасового допроса у мистера Нормана Биркетта лорд Наффилд* признался, что с 1920 года подстрекает к забастовкам на собственных заводах. Газетная хроника пестрит сообщениями о еще пятидесяти черчеллистах-овцекрадах, застреленных в Вестморленде, о хозяйке деревенской лавки в Котсволлских холмах, сосланной в Австралию за то, что обсасывала леденцы и клала их обратно в баночку. Между тем черчеллисты (или черчеллисты-хармсвортовцы**, как их стали именовать после казни лорда Ротермира) продолжают твердить, что именно они являются истинными защитниками капитализма и что Чемберлен и его банда — не что иное, как переодетые большевики.

---

* Норман Биркетт — английский юрист, дважды — член парламента от либеральной партии, лорд-судья по апелляциям. Участвовал в составлении приговоров на Нюрнбергском процессе. Виконт Наффилд (Уильям Моррис) — английский промышленник и филантроп, глава автомобильной компании «Моррис моторс лимитед».

** Гарольд Хармсворт, первый виконт Ротермир, — английский издатель и политик.

Эссе

Всякий, кто следил за русскими процессами, поймет, что это — едва ли пародия. Возникает вопрос: могло ли произойти что-либо подобное в Англии? Очевидно, не могло. С нашей точки зрения, вся эта история невероятна не только как заговор, но и как оговор. Это просто мрачная тайна, из которой можно извлечь лишь один достоверный факт, тоже вполне зловещий: что здешние коммунисты считают это хорошей рекламой коммунизма.

Между тем правда о сталинском режиме, если бы мы могли до нее добраться, имеет первостепенное значение. Социализм это или особо отвратительная форма государственного капитализма? Все политические споры, которые последние два года отравляли жизнь, вращаются вокруг этого вопроса, хотя сам он по нескольким причинам редко выносится на передний план. Поехать в Россию трудно, а там провести сколько-нибудь тщательное расследование невозможно, и все свои соображения об этом предмете ты вынужден строить на книгах, которые либо безоглядно «за», либо столь же яростно «против», так что и от тех и от других за километр разит предвзятостью. Книга мистера Лайонса — определенно из категории «против», но производит впечатление более достоверной, чем большинство остальных. По манере его письма видно, что он не вульгарный пропагандист, и в качестве корреспондента агентства «Юнайтед пресс» он долго жил в России (1928—1934), будучи послан

Джордж Оруэлл

туда по рекомендации коммунистов. Как многие другие, отправившиеся в Россию с надеждой, он постепенно разочаровался, но в отличие от некоторых решил в конце концов рассказать о ней правду. Жаль, что всякую враждебную критику нынешнего русского режима склонны рассматривать как пропаганду *против социализма*; все социалисты это осознают, и это не способствует честной дискуссии.

Годы, проведенные мистером Лайонсом в России, были годами ужасных лишений, апогеем которых стал в 1933 году голод на Украине, где, по некоторым оценкам, от него умерло не менее трех миллионов людей. Теперь, после успешного завершения второй пятилетки, физические условия наверняка улучшились, но нет никаких оснований думать, что сильно изменилась общественная атмосфера. Система, которую описывает мистер Лайонс, судя по всему, мало отличается от фашизма. Вся реальная власть сосредоточена в руках двух или трех миллионов людей, у городского пролетариата — теоретически, наследника революции — отнято даже элементарное право на забастовку; а совсем недавно, с введением паспортной системы, он низведен до статуса почти крепостных. ГПУ повсюду, все живут в постоянном страхе преследования, свобода речи и печати подавлена до такой степени, которую нам трудно вообразить. Террор идет волнами — то «ликвидация» кулаков или нэпманов, то какой-то чудовищный государственный процесс, когда людей, просидевших месяцы или годы в тюрьме, вдруг вытаскивают в суд для невероятных признаний, а их дети пишут в газеты: «я отрекаюсь от моего отца как от троцкистской гадины». Тем временем невидимого Сталина восхваляют в словах, которые заставили бы покраснеть Нерона. Такую — пространную и полную деталей — картину рисует мистер Лайонс, и я не думаю, что он искажает факты. Заметны, правда, признаки того, что его озлобило пережитое и увиденное, и мне кажется, что он, возможно, преувеличивает размеры недовольства в среде самих русских.

Однажды ему удалось проинтервьюировать Сталина, и тот показался ему человечным, простым и приятным. Стоит отметить, что то же самое говорил Г. Дж. Уэллс, и в кино по крайней мере у Сталина действительно приятное лицо. Но разве не известно также, что Аль Капоне был примернейшим мужем и отцом, а Джозефа Смита (топившего в ванне жен после свадьбы) искренне любила первая из семи жен, и он всегда возвращался к ней после очередного убийства?

Июнь 1938 г.

Рецензия на книгу Ф. Дж. Шида
«Коммунизм и человек»

Эта книга — опровержение марксистского социализма с католических позиций — замечательна своим благожелательным тоном. Она свободна от оскорбительных передержек, ныне обычных во всякой важной дискуссии, и честнее излагает идеологию марксизма и коммунизма, чем большинство марксистов — католическую идеологию. Если она не вполне удалась или по крайней мере не так интересна к концу, как в начале, то, вероятно, потому, что автор менее склонен следовать ходу собственных мыслей, чем ходу мыслей оппонентов. Коренное различие между христианином и коммунистом он верно усматривает в вопросе о личном бессмертии. Либо эта жизнь — подготовка к другой, в каковом случае самое важное — индивидуальная душа, либо загробной жизни нет, и в этом случае индивид — всего лишь заменяемая клетка в общем теле. Эти две теории непримиримы, и основанные на них политические и экономические системы неизбежно будут антагонистами.

Однако мистер Шид не склонен признать, что католическая позиция предполагает определенное согласие с нынешними несправедливостями общества. Он готов утверждать, что подлинно католическое общество будет содержать в себе большую часть того, к чему стремится социалист, — а это уже напоминает попытку усидеть на двух стульях.

Индивидуальное спасение предполагает свободу, для католических писателей всегда распространяющуюся на право частной собственности. Но на нынешней стадии промышленного развития право частной собственности означает право эксплуатировать и мучить миллионы ближних. Социалист поэтому возразит, что собственность можно защищать, только если ты более или менее безразличен к экономической справедливости.

Ответ католика на это не слишком убедителен. Не в том дело, что церковь смотрит сквозь пальцы на несправедливости капитализма, — наоборот. Мистер Шид справедливо замечает, что некоторые папы осуждали капиталистическую систему очень решительно и что социалисты об этом обычно забывают. Но в то же время церковь отказывается от единственного решения, которое позволит действительно все изменить. Частная собственность должна сохраниться, отношения наниматель — нанимаемый

Джордж Оруэлл

должны сохраниться, даже категории «богатые» и «бедные» должны сохраниться, но должна быть справедливость и честное распределение. Другими словами, богатого не экспроприируют, ему только скажут, чтобы вел себя хорошо.

«[Церковь] не видит в людях прежде всего эксплуататоров и эксплуатируемых, а в эксплуататорах — людей, которых она обязана ниспровергнуть... с ее точки зрения богач, как грешник, есть предмет ее самой нежной заботы. Там, где другие видят сильного человека на вершине успеха, она видит бедную душу, которой грозит ад... Христос сказал ей [церкви], что душам богатых грозит особая опасность, а забота о душах — ее первый долг».

Возразить ему можно тем, что *на практике* это ничего не меняет. Богатого призывают к покаянию, но он никогда не кается. В этом плане капиталист-католик не отличается заметно от остальных.

Ясно, что любая экономическая система работала бы справедливо, если бы можно было рассчитывать на хорошее поведение людей, но долгий опыт показывает, что в вопросах собственности лишь ничтожное меньшинство людей будут вести себя лучше, чем их к тому принудят. Это не значит, что позиция католиков в вопросах собственности несостоятельна, но означает, что ее очень трудно совместить с экономической справедливостью. На практике принять католическую точку зрения — значит принять эксплуатацию, бедность, голод, войну и болезнь как часть естественного порядка вещей.

Представляется поэтому, что если католическая церковь желает восстановить свое духовное влияние, ей придется определить свою позицию более четко. Либо она изменит свое отношение к частной собственности, либо ясно скажет, что царство ее не от мира сего и что питание тел очень мало значит по сравнению со спасением душ. На самом деле нечто подобное она и говорит, но смущенно, поскольку не такой вести ждет от нее современный человек. В результате церковь уже не первый день находится в двусмысленном положении, символом которого может послужить тот факт, что папа почти одновременно осуждает капиталистическую систему и награждает генерала Франко.

А в общем это интересная книга, написанная просто и на редкость свободная от злобы и дешевого остроумия. Если бы все апологеты католичества были такими, как мистер Шид, врагов у церкви было бы меньше.

27 января 1939 г.

Рецензия на книгу Франца Боркенау
«Тоталитарный враг»*

Хотя эта книга не лучшая у доктора Боркенау, содержащееся в ней исследование природы тоталитаризма заслуживает и даже требует того, чтобы ее прочло сейчас как можно больше народа. Мы не сможем бороться с фашизмом, если не хотим его понять, а этим грешны и левые, и правые — прежде всего потому, что не осмеливаются.

До русско-германского пакта и те и другие полагали, что нацистский режим нисколько не революционен. Национал-социализм считали просто разнуздавшимся капитализмом; Гитлер — марионетка, а Тиссен — кукловод, такова была официальная теория, проповедовавшаяся в брошюрах мистера Джона Стрейчи и молчаливо признанная газетой «Таймс». И твердолобые, и члены Клуба левой книги приняли ее

* Ф р а н ц Б о р к е н а у (1900—1957) — немецкий социолог и политолог.

целиком, будучи кровно заинтересованы в игнорировании реальных фактов. Имущие классы, естественно, желали верить, что Гитлер защитит их от большевизма, а социалистам была непереносима мысль, что человек, истребивший их товарищей, сам социалист. Отсюда неистовые усилия с обеих сторон замазать все более очевидное сходство между немецким и русским режимами. Наконец, пакт между Гитлером и Сталиным открывает нам глаза. И тут отбросы человечества и кровавый палач рабочих (ибо так они характеризуют друг друга) шагают рука об руку, их дружба «скреплена кровью», как радостно выражается Сталин. Тезис Стрейчи и твердолобых оказался несостоятельным. Национал-социализм — действительно форма социализма, подчеркнуто революционная, действительно давит собственника так же, как рабочего. Два режима, начавшие с противоположных концов, стремительно перерастают в одну и ту же систему — некий олигархический коллективизм. И в данный момент, как указывает доктор Боркенау, Германия движется в сторону России, а не наоборот. Поэтому нелепо говорить о том, что, если падет Гитлер, Германия «станет большевистской». Германия становится большевистской *благодаря* Гитлеру, а не вопреки ему.

Вопрос заключается не столько в том, как нацисты станут спасать мир от большевизма и в итоге сделаются большевиками, сколько

Джордж Оруэлл

в том, как они могут сделать это, не утратив силы или уверенности в себе. Доктор Боркенау называет две причины — экономическую и психологическую. В соответствии с первой целью нацистов было превратить Германию в военную машину, подчинив этой цели все остальное. Но страна, особенно бедная страна, которая ведет «тотальную» войну или готовится к ней, должна быть в каком-то смысле социалистической. Когда государство полностью берет под свой контроль промышленность, так называемый капиталист низводится до положения управляющего, и когда потребительские товары в дефиците или строго нормируются, так что, даже получая большой доход, вы не можете его истратить, тогда вы имеете, по существу, сложившуюся структуру социализма плюс некомфортное равенство военного коммунизма. В погоне за военной эффективностью нацисты экспроприировали и устраняли тех самых людей, которых намеревались спасать. Это их не волновало, потому что их целью была просто власть, а не какая-то особая форма общества. Они готовы быть хоть красными, хоть белыми, лишь бы остаться наверху. Если первый шаг — разгромить социалистов под шум антимарксистских лозунгов — отлично, громи социалистов. Если следующий шаг — разгромить капиталистов под шум марксистских лозунгов — отлично, громи капиталистов. Это борьба без правил, единственное правило — победить. Россия с 1928 года демонстрирует точно такие же повороты в политике при неизменном стремлении правящей клики удержаться у власти. Что касается кампаний ненависти, беспрестанно разжигаемых тоталитарными режимами, они вполне реальны, пока длятся, но каждый раз продиктованы потребностями момента. Евреи, поляки, троцкисты, англичане, французы, чехи, демократы, фашисты, марксисты — кто угодно может оказаться Врагом Общества номер один. Ненависть можно обратить в любом направлении по первому знаку, как огонь паяльной лампы.

Рассуждая о стратегических аспектах войны, доктор Боркенау не так убедителен. Он слишком оптимистически оценивает возможную позицию Италии, возможные военные последствия русско-германского пакта, солидарность внутри нашей страны и, самое главное, способность нынешнего правительства выиграть войну и выиграть мир. В принципе он понимает — и говорит об этом, — что нам надо навести порядок дома: противопоставить более гуманную, более свободную форму коллективизма варианту, основанному на чистках и цензуре. Мы можем сделать это быстро, почти без труда, но только наивный глаз увидит такую способность у нынешнего правительства.

Я надеюсь, что доктор Боркенау напишет на ту же тему более пространную и более хорошую

Джордж Оруэлл

книгу. Эта же, несмотря на некоторые блестящие куски, кажется написанной наспех и неудачно организованной. Тем не менее доктор Боркенау — один из самых ценных подарков, преподнесенных Англии Гитлером. Сегодня, когда чуть ли не все книги о современной политике начинены ложью и глупостью или и тем и другим, его голос — один из немногих трезвых у нас, и пусть он звучит подольше.

4 мая 1940 г.

Рецензия на книгу Уинстона Черчилля
«Их самый славный час»

Государственному деятелю, у которого еще есть политическое будущее, трудно обнародовать все, что он знает; а в профессии, где в пятьдесят лет ты младенец и в семьдесят пять — человек средних лет, естественно, что всякий, кто явно не опозорен, должен думать, что у него еще есть будущее. Книга, подобная дневникам Чиано*, например, не была бы опубликована, если бы к ее автору относились с уважением. Но надо отдать должное Уинстону Черчиллю: политические мемуары, которые он время от времени публиковал, всегда были много выше среднего уровня, как по откровенности, так и по литературным достоинствам. Черчилль, среди прочего, журналист — с подлинным, хотя и не выдающимся литературным чутьем; кроме того, у не-

_____

* Галеаццо Чиано — министр иностранных дел Италии (1936—1943). В 1944 году казнен по приговору фашистского суда как изменник. Его дневники были опубликованы в США в 1945 году.

Джордж Оруэлл

го беспокойный пытливый ум, он интересуется и конкретными фактами, и анализом мотивов, в том числе и своих собственных. Вообще о его произведениях можно сказать, что они написаны скорее просто человеком, чем государственным лицом. В этой его книге, конечно, есть куски, как будто залетевшие из предвыборных речей, но вместе с тем видна и готовность признать свои ошибки.

Этот том мемуаров, второй по счету, охватывает период от начала немецкого наступления на Францию и до конца 1940 года, поэтому главные события в нем — падение Франции, немецкие воздушные налеты на Британию, постепенное вовлечение в войну Соединенных Штатов, расширение подводной войны и начало долгой схватки за Северную Африку. Книга обильно документирована, с отрывками речей и донесений на каждом этапе; это приводит к многочисленным повторам, но позволяет сравнить то, что говорилось и думалось, с тем, что на самом деле происходило. По его собственному признанию, Черчилль недооценил важность недавних перемен в методах войны, но в 1940 году, когда разразилась гроза, отреагировал быстро. К великой чести его, он понял еще во время Дюнкерка, что Франция побеждена, а Британия, несмотря на все внешние признаки, — нет, и этот последний вывод продиктован был не просто природной драчливостью, а трезвой оценкой ситуации.

Эссе

Быстро победить в войне немцы могли только одним способом — захватив Британские острова, а чтобы захватить Британские острова, им надо было туда попасть, а для этого — получить господство в Ла-Манше. Поэтому Черчилль упорно отказывался бросить всю авиацию метрополии в битву за Францию. Это было суровое решение, естественно, встреченное с горечью и, возможно, ослабившее позиции Рейно в его противостоянии с пораженцами во французском правительстве; но оно было стратегически верным. Двадцать пять эскадрилий истребителей, считавшиеся необходимыми, оставались в Британии, и угроза вторжения миновала. Задолго до конца года опасность его уменьшилась настолько, что артиллерия, танки и пехота были переброшены из Британии на египетский фронт. Немцы еще могли задушить Британию с помощью подводных лодок или воздушных налетов, но это отняло бы несколько лет, а тем временем в войну наверняка вступили бы другие страны.

Черчилль знал, конечно, что Соединенные Штаты рано или поздно вступят в войну; но на этом этапе, по-видимому, не ожидал, что в Европу когда-то прибудут миллионы американских солдат. Еще в 1940 году он предвидел, что немцы могут напасть на Россию, и правильно рассчитал, что Франко, несмотря на все свои обещания, не вступит в войну на стороне Оси. Он понял, как важно вооружить палестинских евреев и подтолкнуть к восстанию Абиссинию. Если проницательность отказывала ему, то потому главным образом, что он не делал никаких различий в своей ненависти к «большевизму». Показательно в этом смысле его признание, что, отправляя послом в Москву сэра Стаффорда Криппса, он не понимал, что коммунисты ненавидят социалистов больше, чем консерваторов. До прихода к власти лейбористов в 1945 году этого простого факта не понимал, кажется, никто из британских консерваторов, чем объясняется отчасти и ошибочная политика Британии во время испанской гражданской войны. Отношение Черчилля к Муссолини, хотя оно, вероятно, не повлияло на ход событий в 1940 году, тоже основывалось на неверной оценке. В прошлом он приветствовал Муссолини как «борца против большевизма» и принадлежал к числу тех, кто верил в возможность оторвать Италию от Оси с помощью подкупа. Он откровенно говорил, что никогда не поссорился бы с Муссолини из-за такого дела, как война с Абиссинией. Когда Италия вступила в мировую войну, Черчилль с ней, конечно, не церемонился, но общая ситуация была бы лучше, если бы британские тори за десять лет до этого поняли, что итальянский фашизм не какая-то разновидность консерватизма, а сила, по природе враждебная Британии.

Одна из самых интересных глав в «Их самом славном часе» посвящена обмену баз в британской Вест-Индии на американские эсминцы.

Переписка Черчилля с Рузвельтом — своего рода комментарий к демократической политике. Рузвельт понимал, что дать Британии эсминцы — в американских интересах, а Черчилль понимал, что для Британии будут не потерей, а подспорьем американские базы в Вест-Индии. Тем не менее, помимо юридических и конституционных трудностей, невозможно было просто отдать корабли, без препирательств. Впереди у Рузвельта были выборы, и, имея в виду изоляционистов, он вынужден был создать видимость упорной торговли. Он вынужден был, кроме того, потребовать гарантий, что если даже Британия проиграет войну, ее флот ни при каких обстоятельствах не будет передан немцам. Условие это было, конечно, бессмысленным. Ясно было, что Черчилль ни в коем случае не отдаст флота; но, с другой стороны, если бы немцам удалось оккупировать Британию, они поставили бы марионеточное правительство, за действия которого Черчилль отвечать не мог. Поэтому он не мог дать и требуемых гарантий, и торговля затянулась. Проще всего было бы заручиться обещанием всего британского народа, включая экипажи кораблей. Но Черчилль, как ни странно, не захотел обнародовать факты. Было бы опасно, говорит он, признаться в том, как близка Британия к поражению, — и это, возможно, единственный случай за весь описываемый период, когда он недооценил моральный дух народа.

Книга заканчивается темной зимой 1940 года, когда неожиданные победы в пустыне, с громадным количеством итальянских пленных, заслонены были бомбардировками Лондона и увеличившимися потерями флота. Во время чтения то и дело возникает в голове неизбежный вопрос: «Насколько свободно позволяет себе говорить Черчилль?» Ибо самое интересное в мемуарах Черчилля придет позже, когда он расскажет нам (если решил рассказать), что на самом деле случилось в Тегеране и Ялте и была ли им одобрена выработанная там политика или ее навязал ему Рузвельт. Но в любом случае тон этой и предыдущей книг позволяет думать, что, когда настанет время, он откроет нам больше правды, чем открыл до сих пор.

Если и был 1940 год чьим-то самым славным часом, то уж точно Черчилля. С ним можно сколько угодно не соглашаться и сколько угодно быть благодарным ему за то, что его партия не победила на выборах 1945 года, но он заслуживает восхищения не только своей храбростью, но и определенным великодушием и веселостью, которые сквозят даже в этих официальных мемуарах, гораздо менее личных, чем книга «Мои ранние годы». Британцы в общем отвергли его политику, но он им всегда нравился, как можно судить по тону историй, сопровождавших его почти всю жизнь. Многие из них, конечно, апокрифы, иногда и непечатные, но знаменателен сам факт их хождения. Например, во время эвакуации Дюнкерка, когда Черчилль произнес свою часто цитируемую боевую речь, ходили слухи, что на самом деле, записывая ее для радио, он сказал: «Мы будем драться на пляжах, мы будем драться на улицах... мы будем бросать бутылки в этих сук, кроме бутылок, у нас мало чего осталось», — но студийный цензор на Би-би-си вовремя нажал на клавишу. Можно думать, что эта история вымышленная, но в то время казалось, что она должна быть правдой. Это была заслуженная дань простых людей крутому и веселому старому человеку, которого они не приняли как руководителя в мирное время, но в час катастрофы видели в нем своего представителя.

Май 1949 г.

Содержание

Исключительные права на публикацию
книги на русском языке принадлежат издательству AST Publishers.
Любое использование материала данной книги, полностью или частично,
без разрешения правообладателя запрещается.

Литературно-художественное издание

Оруэлл Джордж

СКОТНЫЙ ДВОР
ЭССЕ

Сборник

Ответственный редактор *И. Горяева*
Технический редактор *Н. Духанина*
Компьютерная верстка *Е. Кумшаева*
Корректор *М. Козлова*

Общероссийский классификатор продукции
ОК-034-2014 (КПЕС 2008); 58.11.1 — книги, брошюры печатные

Произведено в Российской Федерации
Изготовлено в 2021 г.
Изготовитель: ООО «Издательство АСТ»

ООО «Издательство АСТ»
129085, г. Москва, Звёздный бульвар, дом 21, строение 1, комната 705, пом. I, 7 этаж.
Наш электронный адрес: **www.ast.ru**
E-mail: ask@ast.ru
ВКонтакте: vk.com/ast_neoclassic
Инстаграм: instagram.com/ast_neoclassic

«Баспа Аста» деген ООО
129085, Мәскеу қ., Звёздный бульвары, 21-үй, 1-құрылыс, 705-бөлме, I жай, 7-қабат.
Біздің электрондық мекенжайымыз: www.ast.ru
E-mail: ask@ast.ru

Интернет-магазин: www.book24.kz
Интернет-дүкен: www.book24.kz
Импортёр в Республику Казахстан ТОО «РДЦ-Алматы».
Қазақстан Республикасындағы импорттаушы «РДЦ-Алматы» ЖШС.
Дистрибьютор и представитель по приему претензий на продукцию в Республике Казахстан
ТОО «РДЦ-Алматы».

Қазақстан Республикасында дистрибьютор
және өнім бойынша арыз-талаптарды қабылдаушының
өкілі «РДЦ-Алматы» ЖШС, Алматы қ., Домбровский көш., 3«а», литер Б, офис 1.
Тел.: 8(727) 2 51 59 89,90,91,92, факс: 8 (727) 251 58 12 вн. 107;
E-mail: RDC-Almaty@eksmo.kz
Өнімнің жарамдылық мерзімі шектелмеген.

Өндірген мемлекет: Ресей
Сертификация қарастырылмаған

Подписано в печать 01.09.2021. Формат 76х100 $^1/_{32}$.
Гарнитура «Ньютон». Печать офсетная. Усл. печ. л. 11,26.
Доп. тираж 20 000 экз. Заказ 8627.

Отпечатано с готовых файлов заказчика
в АО «Первая Образцовая типография»,
филиал «УЛЬЯНОВСКИЙ ДОМ ПЕЧАТИ»
432980, Россия, г. Ульяновск, ул. Гончарова, 14

ЧИТАЙ·ГОРОД

book 24.ru

Официальный
интернет-магазин
издательской группы
"ЭКСМО-АСТ"

ISBN 978-5-17-102500-7

16+

9 785171 025007 >